Les massages thérapeutiques

Un guide pratique de réflexothérapie

Franz Wagner, Ph.D.

Les massages thérapeutiques

Un guide pratique de réflexothérapie

Traduit de l'anglais par Alain Contant

QUÉBEC
AGENDA
200, avenue Lambert
Beauceville, Qué.
G0M 1A0

À Vera Lisa, qui m'a permis de partager avec elle
les secrets de la vie.

Mes plus sincères remerciements à Hans Schwarz,
dont les conseils me furent très précieux.

Trente rayons sont reliés à un moyeu —
Et l'espace qui est entre eux forme la roue.
Le potier façonne un vase dans de l'argile —
Et son vide intérieur forme le contenant.

Les portes et les fenêtres sont des trous dans les murs —
Et l'espace intérieur forme la maison.
Les formes des choses sont visibles,
Mais leur vraie valeur est invisible.

Tao-te-king XI, Lao-tseu

Table des matières

Avant-propos

À travers les siècles, l'énergie a toujours été utilisée comme moyen thérapeutique. Elle s'est manifestée sous forme de potions, de cataplasmes, d'herbes médicinales, d'aspirine, de tablettes homéopathiques ou d'aiguilles manipulées par des médecins ou des acupuncteurs. Aujourd'hui, on considère de plus en plus la conscience comme un outil thérapeutique. Cette récente orientation avait déjà été annoncée dans les œuvres des docteurs Sigmund Freud et Carl Gustav Jung. Au cours des dernières décennies, ces théories ont mené à des applications beaucoup plus larges qu'on désigne par l'expression *approche holistique*.

En 1983, Franz Wagner et Hans Schwarz ont participé à un colloque que je donnais en Allemagne sur la Métamorphose. Je fus alors frappé par leur enthousiasme et leur intérêt pour mes recherches sur le développement de la conscience durant la période de gestation et sur l'influence des expériences intra-utérines sur tout le reste de la vie. Après avoir participé à des ateliers où il apprit à pratiquer la technique métamorphique, le docteur Wagner devint un pionnier de la Métamorphose en Autriche.

C'est un signe d'intelligence que de connaître le succès dans un domaine que l'on a choisi pour s'aventurer dans un domaine inconnu et y connaître le même succès. Spécialiste en sciences sociales et professeur d'université, Franz Wagner s'est tourné vers les médecines alternatives, plus particulièrement vers la réflexothérapie. Insatisfait de répéter ce que ses prédécesseurs avaient découvert au cours des siècles, il a fait sienne la proposition mise de l'avant en 1982 lors de de la Conférence sur l'humanisme de Salzbourg : *Nous n'avons pas besoin d'un nouveau système médical, mais d'une nouvelle approche de l'humanité !* Il a utilisé toute son intelligence, toute sa sagesse et tout son esprit méthodique pour considérer la nature humaine de l'être humain et pour aider l'homme à s'aider lui-même.

« La thérapie holistique considère l'homme en termes d'énergie, de puissance de guérison et de force vitale. Elle s'intéresse aux forces qui circulent dans le corps et qui sont l'essence même de la vie. Ce sont ces forces qui déterminent la personnalité ainsi que les caractéristiques physiques... »

Dans ce livre, Franz Wagner apporte des nuances à cette définition tout en proposant des informations de base pour l'apprentissage de la réflexothérapie. Il insiste sur l'importance du dialogue entre le thérapeute et son patient ainsi que sur la relation entre l'homme et le monde dans lequel il vit. Cette relation permet de stimuler les forces vitales, de supporter l'intelligence innée et de favoriser l'intégration des facteurs de guérison chez le patient.

Le docteur Wagner nous rappelle que la foi dans les méthodes naturelles de guérison peut apporter une plus grande confiance en soi-même et en la vie. Après tout, la vie transcende la maladie et la santé !

Je me réjouis du fait que la réflexothérapie ait trouvé en lui un défenseur créatif capable de rédiger un livre aussi largement accessible que celui-ci.

Gaston Saint-Pierre
The Metamorphic Association
Londres

Introduction

Une multitude de raisons peuvent vous avoir conduit à acheter ou à lire ce livre. Peut-être avez-vous déjà entendu parler de la réflexothérapie et êtes-vous familier avec le sujet. Dans un tel cas, vous voudrez simplement en savoir plus. Peut-être travaillez-vous dans le domaine de la santé, ce qui vous a amené naturellement à ce sujet. Peut-être êtes-vous insatisfait de la place grandissante que prennent la technologie et les appareils sophistiqués dans le domaine médical, souvent au détriment du bien-être et de la santé de l'individu, de son corps et de son âme.

Si vous avez acquis ce livre dans le cadre d'un colloque ou d'un cours sur le sujet, vous pourrez très prochainement vérifier par vous-même certains effets des massages thérapeutiques. La réflexothérapie a longtemps été considérée avec méfiance et scepticisme. Depuis quelques années, elle a connu un tel succès qu'elle fait maintenant partie des thérapies holistiques reconnues et qu'elle se gagne chaque jour une reconnaissance grandissante auprès des praticiens de la médecine traditionnelle.

Il faut d'abord préciser que la réflexothérapie n'est pas une alternative à la médecine conventionnelle. Cette thérapie peut jouer un rôle important dans la régulation des fonctions de l'organisme, mais le patient en tirera le maximum lorsque le médecin et le réflexothérapeute travailleront de concert. L'expérience démontre qu'il est parfois difficile de trouver un terrain d'entente entre ces praticiens de formations différentes. Les réussites d'une véritable collaboration n'en sont que plus méritoires.

Le manque de communication entre les médecins et les thérapeutes est souvent causé par l'approche scientifique étroite de la médecine traditionnelle, qui empêche parfois le médecin de considérer son patient dans son entité. Le diagnostic et le traitement, bien qu'ils soient à l'opposé l'un de l'autre, ont des liens dont il faut tirer parti. Il ne faut pas oublier que la réflexothérapie (et les autres traitements holistiques) partage le même but que la médecine traditionnelle : le mieux-être du patient.

La réflexothérapie n'apporte pas grand-chose au niveau du diagnostic, qui reste la chasse-gardée des médecins. Ce qu'elle offre cependant, c'est une application de plus en plus large des principes du traitement holistique. Les progrès technologiques accomplis par la médecine traditionnelle laissent souvent trop peu de temps au médecin pour qu'il analyse en profondeur les besoins et les problèmes de son patient. Néanmoins, aucun médecin ne niera l'importance du contact humain entre le patient et son médecin, qui doit se fonder sur une relation de confiance mutuelle.

La réflexothérapie s'intéresse fondamentalement au patient en tant qu'être humain. Il arrive parfois que ses succès extraordinaires dépendent uniquement de la relation établie entre le patient et son thérapeute. Il est à souhaiter que les médecins et les réflexothérapeutes trouveront le moyen de collaborer plus souvent. C'est à leur plus grand avantage et à celui de leurs patients.

La réflexothérapie peut être très efficace pour le traitement des autres ou de soi-même. Ses succès ne dépendent cependant pas simplement d'une bonne connaissance topographique des zones réflexogènes des pieds et des mains. L'intérêt grandissant qu'on porte à la réflexothérapie est de nature à nous encourager. La meilleure façon d'apprendre est encore de suivre un cours pratique donné par un thérapeute.

Néanmoins, il faut dire que ce n'est pas tout le monde qui peut masser ce qu'il croit être les zones appropriées du pied (il existe de nombreuses opinions erronées quant à leur emplacement) et obtenir les résultats escomptés dans une autre partie du corps. Il est certain qu'un massage ne peut qu'améliorer le bien-être du patient en stimulant sa circulation sanguine. Il arrive cependant qu'un traitement mal fait puisse avoir des conséquences inattendues. Nous y reviendrons plus loin.

La plupart des livres et des articles traitant de la réflexothérapie fourmillent de généralisations et d'affirmations catégoriques. Cela conduit souvent les lecteurs à croire qu'il suffit de presser le pied à tel endroit pour devenir un réflexothérapeute. Ma perception des massages thérapeutiques est plus spécifique : je les considère comme une méthode de traitement holistique. En effet, cette méthode doit s'intéresser au patient dans son entité et non à sa maladie ou à ses symptômes — encore moins à son simple pied. Une telle approche exige une bonne connaissance de l'anatomie et de la physiologie, de l'environnement psycho-social du patient et de la nature de sa maladie.

L'intuition, la connaissance de l'être humain et le sens des responsabilités thérapeutiques ne peuvent pas s'apprendre en lisant un livre. Le meilleur enseignement viendra toujours de la pratique.

Quiconque s'intéresse à la réflexothérapie a le droit d'en apprendre autant qu'il le peut sur le sujet. Ce n'est pas une méthode magique ou mystérieuse réservée à une élite. Les éléments de base de la réflexothérapie, ses prémisses et ses applications, sont décrits dans ce livre avec autant de clarté et de concision qu'il était possible de le faire. J'ai abordé brièvement les questions de principes ou historiques, pour consacrer un plus grand nombre de pages aux zones réflexogènes. De nombreuses illustrations montrent avec précision les zones réflexogènes des pieds et des mains. Au chapitre 9, le lecteur trouvera des réponses simples aux questions les plus importantes soulevées par cette thérapie. Des photographies en couleurs viennent enfin enrichir le contenu des illustrations.

Ce livre est le fruit de mon expérience et de mes convictions personnelles. J'espère qu'il permettra à ceux et celles qui s'intéressent au sujet de mieux connaître les principes de la réflexothérapie et de profiter peut-être de certains traitements décrits.

Je tiens encore une fois à souligner le fait que je n'ai pas cherché à insister sur les différences entre la réflexothérapie et la médecine traditionnelle. Au contraire, j'ai plutôt voulu insister sur ce qui les rapprochait. Tous les efforts que nous faisons en vue d'un monde en meilleure santé seraient vains si nous ne faisions que remplacer une médecine officielle par une autre. Comme le dit un vieux proverbe chinois : « C'est celui qui guérit qui a raison. »

C'est dans cet esprit que je souhaite au lecteur le succès et la patience nécessaire pour l'atteindre.

Franz Wagner, Ph.D.

Dans le silence, ton cœur connaît le mystère du jour et de la nuit.
Mais tes oreilles veulent entendre le son de la connaissance.
Tu veux entendre en mots ce que tu sais déjà dans ton âme...

La source cachée doit jaillir directement de ton âme et couler en chantant vers la mer ;
Alors le trésor qui se cache en toi sera révélé à tes yeux.
Mais n'essaie pas de soupeser ton trésor caché ;
Ne tente pas d'explorer les profondeurs de tes connaissances.
Car le moi est un océan qui n'a pas de fond...

Khalil Gibran

1. La théorie

L'approche holistique et les thérapies naturelles

La popularité grandissante de la réflexothérapie est due au fait que cette méthode de traitement permet d'accroître le bien-être, la détente et l'harmonie intérieure. On peut la pratiquer dans presque n'importe quelle situation, elle ne coûte rien et n'exige aucun équipement. Il suffit de deux prérequis. D'abord, bien connaître les zones réflexogènes et les relations qui existent entre elles. Ensuite, avoir l'intégrité spirituelle et professionnelle, l'unité d'action et de pensée indispensable à quiconque travaille avec les gens.

Il y a à peine quelques années la seule mention de méthodes du genre de la réflexothérapie suffisait pour soulever les protestations des médecins et des patients. Le scepticisme était largement répandu dans les deux camps. La médecine traditionnelle gardait ses distances parce que la réflexothérapie ne pouvait être expliquée selon les notions couramment admises. Les patients restaient sur la défensive parce que ce type de traitement exigeait d'eux une participation active et une révision de leur attitude face à leur corps. Graduellement, à force de démonstrations de son efficacité, la réflexothérapie s'est fait de plus en plus d'adeptes. Des médecins ont commencé à l'adopter dans le cadre de leur pratique, au plus grand bien de leurs patients. Les conférences sur le sujet ont attiré de nombreux participants enthousiastes dans les facultés de médecine. Le fait qu'on ne puisse pas expliquer convenablement comment fonctionne la réflexothérapie n'enlève rien à ses succès. En réalité, de plus en plus de personnes ont conscience du fait que nous en savons encore très peu sur le genre humain et qu'un grand nombre de phénomènes sont encore inexplicables.

Si de nombreuses personnes se tournent aujourd'hui vers la réflexothérapie pour assurer leur bien-être et leur santé, c'est parce qu'elles ont développé une nouvelle attitude plus responsable face à leur corps. Elles ont adopté une nouvelle conception de la santé et de la maladie qui les a conduites à faire confiance aux thérapies naturelles et, en même temps, aux pouvoirs de guérison du corps humain.

Les médecins et les thérapeutes se rencontrent souvent durant les week-ends pour participer à des cours ou pour assister à des colloques sur la médecine dite *alternative*. Ils veulent être en mesure de faire profiter leurs patients de ces connaissances, car ces derniers s'intéressent de plus en plus aux thérapies naturelles qui leur apportent un contact plus étroit avec le thérapeute et qui n'ont aucun effet secondaire dangereux. Les thérapies naturelles et holistiques sont de plus en plus reconnues, car on a enfin compris qu'elles pouvaient soulager ceux qui souffrent, rendant ainsi inutiles les médications à long terme.

De temps à autre, on ridiculise encore les thérapies naturelles parce qu'on ne peut les expliquer à partir des notions scientifiques traditionnelles. Pourtant, si ces méthodes soulagent des patients, cela suffit à les justifier. Nous devons beaucoup à la recherche scientifique et médicale, mais ce sont les sentiments et la santé de chaque individu qui importent vraiment. La science médicale a trop souvent tendance à réduire le patient à une simple statistique de laboratoire.

Il n'existe pas de cure miracle. Lorsqu'un traitement obtient un succès qui dépasse les prévisions, c'est tout simplement parce que les prévisions étaient fausses, parce que nous connaissons mal la biologie de l'homme. Les *cures miracles* qui apparaissent inexplicables démontrent à quel point nous avons pu sous-estimer les capacités de l'organisme humain.

Nous sous-estimons souvent le corps humain parce que nous avons désappris à l'écouter et à comprendre ce qu'il nous dit. Nous avons perdu le contact avec notre corps. Pourtant, il communique dans un langage facile à interpréter lorsqu'on le connaît. Nous devons tous réapprendre ce langage à partir du début. Notre compréhension du langage du corps progressera lentement, au même rythme que notre compréhension de l'organisme lui-même.

En comprenant mieux notre corps, nous adopterons une nouvelle conception de la santé et de la maladie, nous verrons différemment ce que veut dire *être malade* ou *être bien*. Depuis l'époque Hippocrate, on a défini la santé comme un état d'équilibre et la maladie comme un état de déséquilibre. Pour guérir une maladie il faut accepter l'intrusion d'un étranger afin qu'il rétablisse l'équilibre.

Selon Paracelse, la nature est le plus grand guérisseur. Tous les traitements médicaux remontent à des racines biologiques. Les pouvoirs de guérison de l'organisme sont stimulés de manière à ce qu'ils rétablissent l'équilibre nécessaire à son bon fonctionnement. Même s'ils y sont enfouis ou refoulés, les pouvoirs de guérison se trouvent dans le corps lui-même. Nous avons perdu l'aptitude de mobiliser ces pouvoirs de guérison — en fait, nous les avons même fait disparaître. Nous devons réapprendre à travailler de concert avec les pouvoirs de guérison de notre corps, à les supporter et à les alimenter plutôt qu'à les nier.

La médecine traditionnelle vise d'abord à éliminer les symptômes de la maladie. L'approche holistique prétend au contraire qu'il faut agir en accord avec ces manifestations de la maladie, qui expriment naturellement ce qui se passe à l'intérieur de l'organisme.

La médecine traditionnelle peut faire disparaître les symptômes — du moins temporairement — beaucoup plus vite que les autres méthodes. Mais, en procédant ainsi, la médecine traditionnelle enlève à l'organisme ses moyens de défense et, après un certain temps, ceux-ci ne peuvent plus fonctionner. Il ne s'agit pas de mettre en doute les succès ou l'efficacité de la médecine occidentale moderne, mais plutôt de faire ressortir son approche étroite. Je suis toujours heureux de voir un patient se tourner vers la réflexothérapie, mais jamais autant que lorsqu'il le fait sur les conseils de son médecin. Dans plusieurs de ces cas — surtout ceux où les patients souffraient de dysfonction —, la réflexothérapie a avantageusement remplacé le traitement médical.

Les thérapies holistiques — et la réflexothérapie en fait partie — ne traitent pas la maladie d'une manière isolée. Elles traitent le patient dans son entité. Elles ne s'attachent pas spécifiquement à l'organe ou au système défectueux, mais plutôt à la personne. C'est pourquoi j'insiste à nouveau sur le fait que l'intuition, la sympathie et les aptitudes à communiquer sont des atouts importants qu'on ne peut pas apprendre dans un livre. La seule façon de les améliorer, c'est par la pratique, par l'introspection et par une écoute attentive du patient. Il ne faut pas croire que la connaissance seule peut suffire pour enrayer une maladie. La réflexothérapie permet de comprendre l'organisme dans son entité et de l'aider à mobiliser ses moyens de défense afin de retrouver son équilibre.

Quoi qu'en disent certaines publications, la réflexothérapie n'est pas une méthode simpliste permettant de jouir instantanément d'une bonne santé. C'est un sujet que l'on doit aborder avec sérieux, ce que n'a pas fait un magazine bien connu lorsqu'il a publié un article sur la réflexologie portant le titre : « Recouvrez la santé en vous massant — aucun traitement n'est plus amusant ! »

Les principes des thérapies naturelles

Pour guérir le corps, il ne faut pas le forcer à accepter quelque chose qui pourrait contribuer à sa détresse. L'objectif premier du thérapeute est de rendre le corps réceptif à la guérison. C'est un principe fondamental qui a été reconnu au cours des siècles et dans toutes les cultures. Chaque communauté, chaque culture avait ses rites qui étaient célébrés en présence du malade afin de créer un climat favorable à la guérison — un climat de solidarité, de confiance, d'ouverture, de partage et d'aide inconditionnelle. Les thérapies holistiques ont la même ouverture et se fondent sur le principe que l'être humain est en harmonie avec la nature et que, comme toutes les autres formes de vie, il peut normalement se guérir de lui-même et d'une manière naturelle. En ce sens, la réflexo-thérapie est une thérapie naturelle, car elle origine de l'expérience et qu'elle démontre son efficacité en pratique.

Les thérapies naturelles se fondent également sur quatre autres principes fondamentaux :

1. Le traitement ne doit comporter que des moyens naturels.
2. Il ne doit faire aucun tort au patient.
3. Il doit considérer le patient dans son entité.
4. Il doit stimuler les pouvoirs de guérison de l'organisme et travailler dans le même sens qu'eux.

Seuls des stimulants ou des remèdes naturels pourront provoquer dans l'organisme des réactions naturelles. De telles réactions seront de longue durée et n'auront aucun effet secondaire dommageable. Tandis que la médecine traditionnelle cherche à obtenir un résultat quantifiable et immédiat, les thérapies naturelles visent plutôt à activer les moyens de défense de l'organisme. Selon les principes des thérapies holistiques, il est impossible de traiter une maladie isolément. Les manifestations de la maladie indiquent que le bon fonctionnement de l'organisme a été interrompu et que celui-ci cherche à retrouver un nouvel équilibre. Le siège de la maladie peut se trouver à un endroit bien différent de celui où apparaissent les symptômes. La maladie doit être comprise dans le contexte de la vie du patient, comme une crise existentielle et non comme un accident insignifiant. Les thérapies holistiques ne perdent pas de vue cette rupture dans l'équilibre de l'être humain ; elles visent à permettre au patient de rétablir l'équilibre lui-même. C'est la première étape en vue de la stimulation des pouvoirs de guérison de l'organisme et c'est ce qu'on entend lorsqu'on affirme qu'il faut agir en accord avec les manifestations de la maladie et non contre elles. Pour moi, le mot « thérapie » signifie beaucoup plus une attitude face à la maladie et à la santé qu'un ensemble de techniques thérapeutiques.

Les thérapies holistiques affirment que la vie du patient est un processus continuel de développement et que la maladie est une interruption de ce processus. Cette approche a longtemps été négligée en faveur d'une conception étroitement mécaniste et scientifique de la vie. Avec l'effondrement graduel des attitudes scientifiques rigides, on pourra découvrir de nouveaux moyens d'appliquer les thérapies d'autrefois à nos sociétés modernes.

La médecine en tant que philosophie

Notre façon de décrire la maladie, la santé, la médecine ou la thérapie dépend de nos attitudes face à ces concepts. Le langage et la pensée sont intimement liés. Le langage que nous utilisons et les mots que nous choisissons révèlent non seulement ce que nous voyons, mais aussi ce que nous ignorons. Par exemple, si Galilée n'avait pas jeté par-dessus bord les théories d'Aristote, il n'aurait jamais pu découvrir le pendule. Ce que Galilée a fait, c'est de percevoir le même phénomène d'une autre façon et de le décrire en ses propres mots. Alors, tout est devenu logique. Il en va de même en médecine. Si on explique une maladie en se fondant sur une théorie qui n'est pas appropriée, le traitement sera probablement inefficace. Au bout du compte, le langage marque les limites de notre compréhension et nous ralentit dans notre quête de la vérité.

C'est pourquoi les réussites de la réflexothérapie ne peuvent être expliquées en termes scientifiques. Nous faisons constamment face à ce problème lorsque nous parlons aux médecins des forces vitales ou des pouvoirs de guérison du corps humain. L'ajout de néologismes au dictionnaire ne constitue pas une solution, car les mots doivent se fonder sur un système de pensée. La médecine n'est pas uniquement la médecine, peu importe où et comment elle est pratiquée. Elle est toujours influencée par une culture qui a ses propres conceptions, explications et interprétations du monde et de l'être humain.

Dans les facultés de médecine et les hôpitaux universitaires, on entretient souvent le mythe qu'on sait tout ce qu'il y a à savoir au sujet de la médecine. C'est une vaste supercherie, car la connaissance seule ne peut pas guérir un patient. L'expérience, la compréhension, l'intuition et la sympathie sont indispensables pour établir une relation d'aide valable avec un patient.

Sommairement, il existe deux grandes écoles de pensée dans la médecine d'aujourd'hui :

1. La médecine occidentale cherche à diagnostiquer les maladies et à les enrayer en faisant subir des modifications à l'organisme. Elle s'intéresse principalement aux organes et au sang. Elle se fonde sur l'anatomie (étude de la structure du corps humain) et sur l'histologie (étude des cellules). C'est d'abord et avant tout une science physique (médecine somatique).

2. La médecine alternative s'inspire des cultures extrême-orientales et s'intéresse surtout aux processus, à la dynamique et à l'énergie. Elle traite donc souvent de conditions et de problèmes qui sont hors du champ de la médecine scientifique occidentale. Il est important que les deux approches ne soient pas concurrentielles, mais plutôt complémentaires.

Notre santé est influencée par de nombreux facteurs. Ils peuvent être importants ou encore sembler insignifiants. Ils peuvent être physiques, émotionnels ou psychologiques.

Aujourd'hui plus que jamais, notre santé est aussi influencée par notre environnement. Tous ces facteurs sont interreliés et s'influencent les uns les autres. C'est en ayant conscience de la complexité de ces facteurs que les thérapies holistiques peuvent approfondir une maladie bien au-delà de ses symptômes apparents.

Ce processus d'approfondissement s'inspire des thérapies extrême-orientales, mais c'est beaucoup plus qu'un simple emprunt de technique, sinon il ne s'agirait que d'une pâle imitation de l'original. C'est également une façon de penser différente, une nouvelle conception de soi-même et du monde. En ce sens, la réflexothérapie est une thérapie holistique qui considère toujours le patient dans son entité.

La maladie et la santé

De nos jours, on comprend mal la vraie nature de la maladie et du processus de guérison parce que les notions mécaniques, physiques et chimiques sont impuissantes à expliquer le facteur humain. Ce qui importe le plus pour la compréhension de la maladie, ce ne sont pas les réactions chimiques et biophysiques de l'organisme, mais la nature même de l'être humain. L'approche scientifique a réduit le patient à une série de données statistiques. Ces méthodes sont excellentes lorsqu'il s'agit de techniques, mais elles ne permettent pas d'approfondir notre connaissance de l'être humain. La plupart des thérapies holistiques rejettent les critères scientifiques parce qu'ils sont trop étroits et très souvent contradictoires. La nature humaine déborde les limites imposées par la pensée scientifique.

Les processus de guérison ne sont pas nécessairement scientifiques — même s'ils peuvent l'être, ou le devenir. Cela ne leur enlève rien de leur pouvoir ; au contraire, on peut ainsi distinguer quels aspects de la nature humaine peuvent être expliqués scientifiquement et lesquels ne le peuvent pas.

Pour les fins de la médecine scientifique traditionnelle, le corps humain est un objet. Sa connaissance du corps physique est exacte, mais ses méthodes scientifiques sont inaptes à saisir les émotions, l'âme ou la nature humaine. Cela dit, il ne faut pas commettre l'erreur de rejeter la médecine scientifique ; il faut plutôt considérer toutes les formes de thérapies sous un nouvel angle et avec une approche différente.

La pensée thérapeutique et les traitements viennent toujours en premier lieu de la connaissance de la nature humaine et non de la connaissance de la maladie. Les progrès de la science et sa connaissance détaillée des plus petits éléments du corps — les cellules — ont eu pour effet de mettre le corps et les fonctions physiques au premier plan, en laissant complètement de côté l'esprit et les émotions. L'entité de l'être humain a été écartée en faveur d'un examen détaillé de ses différentes parties. Il s'agit maintenant de rétablir l'équilibre dans notre façon de considérer l'homme.

Les maladies sont traditionnellement considérées comme des déviations par rapport à la norme, comme des ruptures dans le processus de la vie. On les définit essentiellement comme des phénomènes négatifs qui limitent ou paralysent les fonctions du corps. Il faudrait plutôt considérer la maladie comme un processus propre au patient. Cela facilitera le traitement de la maladie ou, pour être exact, le traitement du patient.

Lorsqu'on s'intéresse aux concepts de santé et de maladie, il faut dépasser les données techniques se rapportant au corps humain pour penser à l'être humain dans son entité. L'organisme de l'homme se modifie et se renouvelle continuellement. La maladie et la santé ne sont pas des états permanents et il ne peut y avoir un point de départ et une ligne d'arrivée pour un traitement. Le début et la fin ne peuvent être prévus. La vie elle-même est changement, croissance et mouvement. C'est pourquoi il faut d'abord compter sur les forces vitales de l'organisme et tenter de les stimuler en massant les zones réflexogènes des pieds, en libérant un flux d'énergie créatrice qui rétablira l'harmonie.

Les forces du cosmos influencent aussi l'être humain — il est lui aussi le siège de l'énergie cosmique. Lorsque l'énergie est en harmonie, l'homme est en santé ; lorsque les champs d'énergie sont le théâtre d'un combat, il est malade. Selon les cultures, on donne différents noms à ces forces, mais il importe peu qu'on les appelle « yin » et « yang », « sympathiques » ou « parasympathiques ». Le principe reste toujours le même : tout est question d'équilibre et d'harmonie, de l'opposition des forces de tension et de relaxation.

Il faut donc rechercher une nouvelle conception de la santé et une nouvelle approche face aux maladies. La confiance accordée aux thérapies naturelles coïncide aujour-d'hui avec un changement d'attitudes face à la santé. Alors que la médecine traditionnelle cherche à enrayer les symptômes pour guérir la maladie, la médecine alternative vise d'abord le maintien de la santé. Ces thérapies font appel à des soins actifs afin de préserver l'ordre et la santé chez le patient ; elles n'attendent pas passivement que l'harmonie soit brisée et que le désordre s'installe. Compte tenu de cela, il ne faut pas perdre de vue que *la maladie n'existe pas* ; seul le malade existe. Il faut s'intéresser au destin et aux forces vitales du patient, qui peuvent être en équilibre plus ou moins précaire. Voilà le véritable objet du traitement, et non le rhume ou la migraine.

Malgré son formidable potentiel et ses succès grandissants, la réflexothérapie n'est pas une panacée. Elle ne constitue pas non plus une méthode diagnostique. Bien qu'elle traite les déséquilibres et leurs racines profondes au sens holistique du terme, le grand mérite de la réflexo-thérapie est d'activer et de coordonner les pouvoirs de guérison de l'organisme.

Ma propre expérience m'indique que les préjugés entretenus par la médecine traditionnelle à l'endroit des thérapies simples s'évanouissent rapidement. Les théra-peutes et les personnes qui assistent à mes cours font de plus en plus état de leur collaboration avec des médecins qui ont pu vérifier les résultats de la réflexothérapie et qui veulent en apprendre plus sur le sujet. De nombreux médecins ayant pratiqué eux-mêmes la réflexothérapie témoignent de la valeur de cette méthode pour améliorer la relation avec le patient aussi bien que son état de santé.

J'insiste encore sur le fait que ce livre ne cherche pas à critiquer les lacunes de la médecine traditionnelle, ni à proposer son remplacement par la réflexothérapie. Les critiques et les ressentiments à l'endroit de la médecine sont aussi vieux que la médecine elle-même. Cependant, depuis quelques années, les critiques se font à un autre niveau. On reproche à la médecine, tout comme à la société moderne dans son ensemble, de s'être trop développée. Il semble que l'humanité veuille faire une pause et que la Nature cherche à faire entendre sa voix. Les progrès technologiques menacent l'environnement et l'être humain. À cause des progrès de la science, l'être humain est de plus en plus fragmenté. Les problèmes de compréhension auxquels nous faisons face ne peuvent être résolus à moins d'un changement de point de vue, d'un élargissement de notre conscience et de nos horizons.

La plupart des thérapies alternatives y arrivent en s'inspirant d'un héritage vieux parfois de plusieurs millénaires. Ces thérapies ont en commun une certaine conception du monde, de l'être humain et de la maladie. Elles partagent une même vision de l'humanité. La médecine traditionnelle moderne n'a pas une telle vision de l'humanité ou de la santé ; elle dispose à peine d'une théorie limitée de la maladie. En 1982, lors de la Conférence sur l'humanisme de Salzbourg, des spécialistes de différentes disciplines se sont réunis pour se poser la question : *À quel point la médecine moderne est-elle malade ?* Dans une proposition mise de l'avant au cours de la conférence, ils ont répondu : *Nous n'avons pas besoin d'un nouveau système médical, mais d'une nouvelle approche de l'humanité !*

Lorsqu'on pratique la réflexothérapie, il faut toujours se rappeler que l'on traite une personne au complet et non un aspect spécifique de cette personne — ses symptômes ou sa maladie. Bien sûr, il n'est pas toujours possible de tenir compte de tous les facteurs (influence du milieu, environnement de travail, etc.), mais on évitera au patient de nombreux problèmes en le traitant comme un être humain.

Il ne faut pas se laisser leurrer par l'apparente simplicité de la réflexothérapie des pieds et des mains. Il ne s'agit pas simplement d'une technique qu'on peut appliquer mécaniquement aux méthodes traditionnelles de massage. La réflexothérapie n'est pas une technique différente. Elle est beaucoup plus que cela : elle est une forme de traitement différente. Il ne suffit pas de masser les pieds au hasard et d'espérer des résultats. Personne ne croit qu'on peut faire voler un avion en tirant simplement sur quelques leviers. Il en va de même pour la réflexothérapie.

N'importe qui peut copier une technique, mais les résultats dépendront ultimement de l'attitude de la personne qui l'applique. La pratique d'une méthode dépend des fondements culturels de la thérapie, de la relation qui existe entre le thérapeute et son patient, ainsi que de l'attitude de chacun face à la vie. Au bout du compte, les succès de la réflexothérapie — tout comme ceux des autres thérapies incluant la médecine traditionnelle — dépendront de la responsabilité et de l'intégrité personnelles et professionnelles du thérapeute.

2.   Quelques notes historiques

L'histoire de la réflexothérapie

La pratique des massages thérapeutiques des pieds nous vient de l'ancienne médecine populaire. Ils étaient utilisés par les Améridiens et les Incas, qui nous ont transmis leurs connaissances. Des textes datant de la Rome antique décrivent aussi des méthodes de traitement qui correspondent exactement à nos concepts des zones réflexogènes. La connaissance des zones réflexogènes des pieds et de l'art de les masser s'est donc transmise jusqu'à nous à travers les millénaires.

La connaissance et l'utilisation des réflexes corporels se retrouvent dans plusieurs cultures. Les Chinois de l'Antiquité ont mis au point les techniques d'acupression, qui se fondent sur la connaissance des zones réflexogènes et de leurs interrelations. Les guérisseurs indiens et indonésiens font aussi référence aux zones réflexogènes des pieds et des mains.

L'être humain s'est toujours préoccupé de combattre la douleur. En Inde et en Chine, on traitait la douleur en appliquant une pression à certains endroits du corps il y a plus de 5 000 ans. De nos jours, l'acupuncture représente la forme la plus développée des ces anciennes techniques. En Europe centrale, des techniques similaires furent décrites par les docteurs Adamus et A'Tatis en 1580. Vers la même époque, le docteur Ball publiait à Leipzig un livre sur ses méthodes de traitement indirect où il expliquait que des pressions exercées en certains points du corps pouvaient soulager et guérir des symptômes qui se manifestaient à d'autres endroits. L'histoire raconte que le célèbre sculpteur florentin Benvenuto Cellini (1500–1571) souffrait de fortes douleurs et qu'il fut traité par des massages vigoureux des mains et des pieds. Le vingtième président des États-Unis, le président Garfield, a supporté des douleurs atroces après une tentative d'assassinat. Devant l'impuissance de tous les autres remèdes, il s'est tourné vers les massages des pieds et le traitement se révéla très efficace. Aujourd'hui, la réflexothérapie est toujours pratiquée par les Amérindiens qui vivent dans des réserves. Ils l'utilisent pour guérir les maladies, mais surtout pour soulager la douleur.

Bien qu'on ne puisse le démontrer, les spécialistes s'entendent pour dire que le docteur William Fitzgerald est le père de la réflexothérapie moderne et que c'est lui qui a le premier étudié les thérapies utilisées par les Amérindiens.

Les théories du docteur Fitzgerald

Le docteur William Henry Fitzgerald (1872–1942), un médecin américain, a développé la théorie réflexothérapeutique qui porte son nom et a publié ses découvertes en 1913.

Le docteur Fitzgerald a reçu son diplôme de l'Université du Vermont en 1895. Il pratiqua la médecine pendant deux ans et demi à l'Hôpital municipal de Boston avant d'aller travailler à l'Hôpital oto-rhino-laryngologique de Londres. Il pratiqua pendant deux ans à la clinique viennoise d'oto-rhino-laryngologie dirigée par les célèbres professeurs Politzer et Chiari.

Lorsqu'il a publié ses découvertes sur la réflexothérapie, il était chef du département d'oto-rhino-laryngologie de l'Hôpital St-Francis, au Connecticut. Il avait découvert que les pressions et les massages exercés à certains endroits du corps pouvaient améliorer le fonctionnement des organes et soulager — voire même faire disparaître — la douleur. Il observa également que la distance entre la zone traitée et l'organe visé n'avait aucune importance.

On raconte que le docteur Fitzgerald eut l'idée de la réflexothérapie après avoir fait des expériences sur ses patients. On prétend qu'il faisait de petites incisions chirurgicales dans leur chair et qu'il observait leurs réactions variées face à la douleur. Ceux dont le seuil de tolérance était très bas s'agrippaient aux bras du fauteuil et y enfonçaient leurs ongles. À partir de ces observations, le docteur Fitzgerald aurait déduit que certaines zones réflexogènes entraînaient des réactions ailleurs dans le corps. C'est ainsi, dit-on, qu'il aurait redécouvert les méthodes d'acupression utilisées par les Chinois il y a plusieurs milliers d'années.

Que l'anecdote soit fondée ou non, le docteur Fitzgerald a mis au point un système de zones réflexogènes qui correspond à son interprétation de cette thérapie millénaire. À partir de ses observations et de ses découvertes, il a identifié dix zones du corps humain, qui vont du sommet de la tête jusqu'à la pointe des orteils. Ce système n'a toutefois rien de commun avec celui qui prétend que certaines zones cutanées deviennent plus sensibles à la douleur lorsqu'un organe est affecté.

Les zones identifiées par le docteur Fitzgerald se regroupent en deux séries de cinq zones longitudinales, chacune se terminant au doigt ou à l'orteil correspondant. Tout ce qui se produit dans une zone affecte et est affecté par l'ensemble des organes et des parties du corps se trouvant dans cette zone.

En 1917, le docteur Fitzgerald a publié, avec le docteur Edwin Bowers, un livre intitulé *Zone Therapy, Relieving Pain At Home*. Dans ce livre, il décrit ses observations et ses découvertes se rapportant aux relations qui existent entre les différentes zones. Selon le docteur Fitzgerald, les zones réflexogènes les plus importantes à des fins thérapeutiques se trouvent sur les doigts, les mains, les lèvres, la langue, les gencives, le nez et les orteils. Les zones

Les zones du corps selon le docteur Fitzgerald

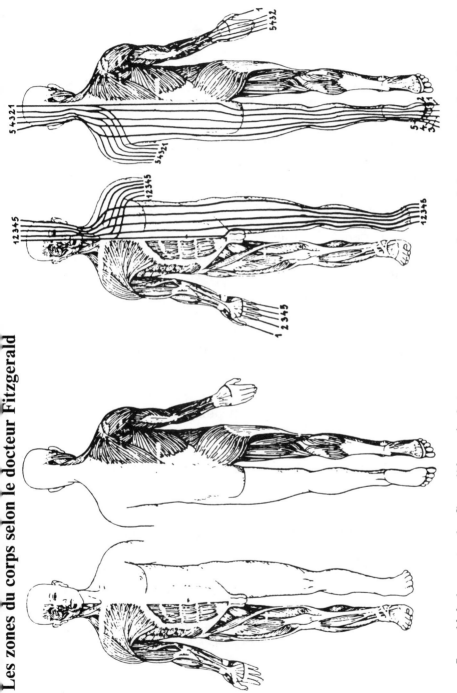

Les dérèglements du flux d'énergie à travers ces zones peuvent être traité en massant les pieds. Les massages peuvent libérer des blocages et rétablir l'équilibre énergétique.

réflexogènes des pieds, si importantes dans la réflexothérapie moderne, n'ont aucunement attiré son attention.

La diffusion de la réflexothérapie

En Amérique, que ce soit dans le grand public ou dans
la profession médicale, les adeptes de la réflexothérapie
n'ont cessé d'augmenter.

Le docteur J.S. Riley et son épouse comptent parmi
les réflexothérapeutes les plus réputés et ils ont largement
contribué à la diffusion de cette méthode. Ils ont traité
des centaines de patients, exploré différentes zones du
corps humain et fait de nombreuses découvertes importantes. Le docteur Riley est sans doute mieux connu pour
avoir été le maître de Mme Eunice Ingham, qui l'a assisté
dans sa pratique pendant de nombreuses années.

Eunice Ingham, qui est morte en 1974, a mieux fait
connaître la réflexothérapie en publiant deux livres qui
ont connu un grand succès : *Stories the Feet can Tell*
(1938) et *Stories the Feet have Told* (1963). Dans le même
ordre d'idées, il convient de mentionner le livre publié par
M. Carter, un physiothérapeute américain, *Helping Yourself
with Foot Reflexology* (1969).

Selon Mme Ingham, la réflexothérapie fait appel à
une technique de massage bien spécifique en utilisant le
pouce comme *pour réduire en poudre des cristaux de sucre.*
Mme Ingham a élaboré une théorie des *dépôts cristallins*
et elle estimait que les succès de la réflexothérapie étaient
surtout attribuables à *la libération des blocages du système
nerveux.* De nos jours, cette théorie a été raffinée, même si

plusieurs thérapeutes emploient encore ces mots simples pour décrire la réflexothérapie à leurs patients.

Nous savons aujourd'hui que la réflexothérapie se fonde sur des réactions subtiles et complexes qu'on peut difficilement expliquer à l'aide d'un modèle linéaire ou de relations de causes à effets. J'effectue personnellement des recherches sur le sujet dans un hôpital universitaire où j'utilise un électro-encéphalographe pour enregistrer les réactions physiologiques des patients. Mes observations m'indiquent qu'il n'existe pas de réponse simple à la question : *Comment fonctionne la réflexothérapie ?*

En réalité l'explication des succès de la réflexothérapie varie selon l'expérience et les recherches de chaque thérapeute et selon sa connaissance des autres disciplines scientifiques. On ne sait pas exactement comment la méthode fonctionne, mais il ne fait aucun doute qu'elle est efficace et qu'on sait comment en tirer les meilleurs résultats possibles. Les relations entre les différentes zones réflexogènes sont mises en évidence par les succès de la méthode, même si l'on n'a pas encore découvert de lien physiologique entre les zones massées et les régions soignées. Il semble s'agir d'un phénomène qui dépasse les lois physiques. Il faut considérer les effets de la réflexothérapie comme une expression holistique des forces vitales.

Dans certains cas, la théorie des *dépôts cristallins* peut aider à expliquer ce qui se produit. Lorsque le métabolisme ne fonctionne pas correctement, il s'accumule de l'acide urique et des excédents de calcium dans l'organisme.

L'activité normale du système endocrinien ne réussit pas à éliminer les trop fortes accumulations de ces substances. En massant les zones réflexogènes des pieds, on peut réussir à renverser ce processus de sorte que les substances soient entraînées par le sang et éliminées.

En pratique, le concept qui explique le mieux le fonctionnement de la réflexothérapie est le suivant. Le massage des pieds équivaut à l'acupression et stimule le flux d'énergie qui parcourt les zones méridiennes du corps.

On peut aussi considérer que chacune des 72 000 terminaisons nerveuses qui se trouvent dans le pied est reliée à une autre partie du corps. En massant ces terminaisons nerveuses, on peut donc transmettre des impulsions à d'autres régions de l'organisme.

Pour les besoins de la réflexothérapie, on peut considérer le corps humain comme une holographie. Dans cette holographie, chacune des millions de cellules constitue une nouvelle holographie qui reproduit les données fondamentales des autres cellules et de l'ensemble du corps.

Les plus récents développements

Le guérisseur britannique Robert St John a mis au point une thérapie prénatale fondée sur sa propre expérience et sur les principes de la réflexothérapie. Convaincu que la maladie est causée par le patient lui-même, il s'est intéressé aux premières manifestations de la vie intra-utérine. Il estime que toutes les infirmités sont causées par un blocage qui peut prendre deux formes très différentes.

À un extrême, le patient sera complètement coupé de la réalité de la vie ; à l'autre extrême, il y sera trop violemment engagé. Les enfants mongoliens et autistiques sont des exemples extrêmes de ces deux aspects du blocage.

Comme aucune méthode thérapeutique ne tenait compte de cette théorie, Robert St John s'est tourné vers la réflexothérapie et il a découvert que la plupart des infirmités physiques correspondaient à un blocage au niveau de la moelle épinière. Il a également découvert que son traitement était aussi efficace lorsqu'il se limitait aux zones réflexogènes de la moelle épinière sans s'attarder aux autres zones des pieds.

Il se tourna ensuite vers les dimensions psychologiques du traitement. Il identifia une zone réflexogène du talon, qui correspond au principe maternel, et une zone réflexogène de la première articulation du gros orteil, qui correspond au principe paternel. Il vint à la conclusion que la ligne reliant ces deux points correspondait à la période de gestation et que les zones réflexogènes de la moelle épinière sont intemporelles.

Selon lui, notre vie intra-utérine n'est pas un événement du passé, mais fait partie intégrante de notre expérience présente. Tous les événements présents ne sont que des conséquences du modèle énergétique établi alors que nous étions dans le sein de notre mère.

La thérapie prénatale — ou métamorphique — est aujourd'hui pratiquée à travers le monde. En ce domaine, de nouveaux progrès ont été faits par le plus célèbre élève de Robert St John, Gaston Saint-Pierre. Tandis que la réflexothérapie vise d'abord à traiter les problèmes physiques, la thérapie prénatale explore dans les zones réflexogènes des pieds la configuration psychologique de la vie intra-utérine. La thérapie métamorphique se concentre sur le potentiel de cette période de la vie qui influence toute l'existence d'un individu. De la même façon que la terre nourrit une semence et favorise sa croissance, la thérapie métamorphique apporte le nécessaire pour la croissance, le développement et la réalisation de l'individu.

Tout le monde vise l'accomplissement personnel. Le gland devient un chêne, la chenille se transforme en papillon et l'être humain devient lui-même. La métamorphose transcende le temps et l'espace ; elle s'occupe de la transformation de ce que nous sommes en ce que nous pouvons être. Les succès de cette méthode illustrent bien comment la variété des thérapies possibles est aussi illimitée que la vie elle-même.

Ces développements de la réflexothérapie semblent se fonder sur la même logique que d'autres thérapies naturelles, comme l'homéopathie. Là aussi, il est impossible d'utiliser les critères empiriques habituels, car le thérapeute traite les flux d'énergie et les champs qu'ils forment. Honnêtement, il faut admettre qu'on n'expliquera jamais complètement le fonctionnement de l'organisme humain et qu'on peut l'interpréter d'autant de façons qu'il y a d'individus. L'univers entier est fait d'énergie. La vie est énergie et ce dont il est question ici est également énergie. Que nous comprenions ou non les lois de l'énergie importe peu. La vie est le plus grand guérisseur.

3. Le système des zones réflexogènes

Comment le corps est divisé en zones

Le pied est un véritable miroir du corps et de l'âme. On peut l'utiliser comme une carte topographique. En réflexothérapie, le pied est un guide sûr, mais il ne faut pas commettre l'erreur de se concentrer uniquement sur lui.

Selon la théorie du docteur Fitzgerald, le corps se divise en dix zones longitudinales. Chacune de ces zones se prolonge dans les pieds, qui sont aussi divisés en dix zones. Les zones partent du sommet de la tête pour se rendre jusqu'à la plante des pieds et jusqu'à l'extrémité des doigts. On ignore comment ces zones ont d'abord été délimitées, mais ce système demeure très utile pour faciliter l'identification des zones réflexogènes des pieds à des fins thérapeutiques.

Les zones longitudinales sont interceptées par une série de zones transversales. Cela permet de tracer sur le pied une carte bidimensionnelle du corps humain. Si vous prenez le temps de vous familiariser avec l'anatomie du pied, de le palper dans tous ses détails, vous serez étonné de la complexité de ce petit chef-d'œuvre de construction.

Zone transversale	Emplacement	Organes	Zones correspondantes du pied
A	épaule taille	de la tête et du cou	orteils
B	diaphragme	de la poitrine et du haut de l'abdomen	métatarse, ligne articulaire de Lisfranck
C	périnée	abdominaux et génitaux	tarse, articulation de la cheville

Aux illustrations des pages qui suivent, vous constaterez que les zones transversales sont faciles à localiser et qu'elles correspondent à des divisions anatomiques naturelles. Des lignes horizontales et verticales délimitent les différentes zones du corps qui correspondent aux zones réflexogènes des pieds. À partir des zones réflexogènes des pieds, on peut traiter les organes qui se trouvent dans la zone correspondante du corps.

En voici deux exemples :

1. *L'épine dorsale (columna vertebralis)* descend de part et d'autre de la zone 1. Elle correspond à la zone qui s'étend sur la bordure interne de chaque pied et traverse les zones tranversales A, B et C.

2. *Les poumons (pulmones)* sont des organes jumeaux qui se trouvent dans les zones 1 et 5 de la deuxième zone transversale. La zone réflexogène des poumons se trouve dans la région du cinquième métatarsien au-dessus de la ligne articulaire de Lisfrank (zones longitudinales 1 et 5, zone transversale B).

La signification des zones

La réflexothérapie n'est pas conçue comme un traitement mécanique venant de l'extérieur, mais plutôt comme un moyen de stimuler et de coordonner les forces vitales et les pouvoirs de guérison de l'organisme. En massant les zones réflexogènes du pied, on frictionne des tissus et on travaille le long des méridiens connus en acupuncture. Mais il ne s'agit là que de détails. L'objectif premier est de transmettre une impulsion à une autre partie du corps afin qu'elle réagisse. Les liens réflexes entre les différentes parties du corps sont bien connus de la médecine traditionnelle. Le système des zones de la tête, par exemple, décrit les diverses régions cutanées qui sont reliées à certains organes internes. Lorsque ces organes sont

Anatomie du pied (vue de dessus)

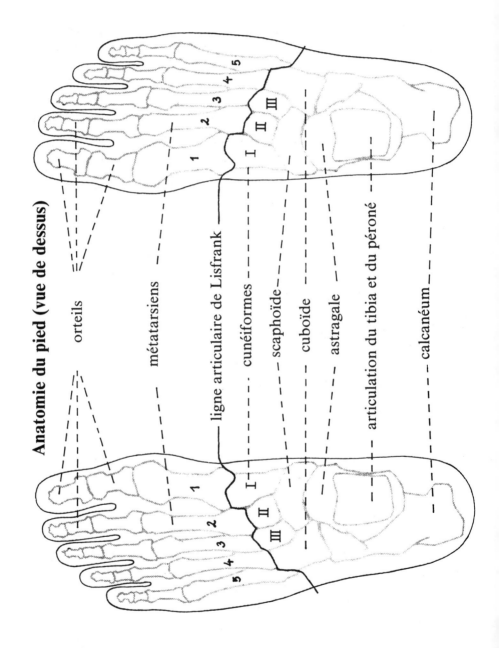

orteils

métatarsiens

ligne articulaire de Lisfrank

cunéiformes

scaphoïde

cuboïde

astragale

articulation du tibia et du péroné

calcanéum

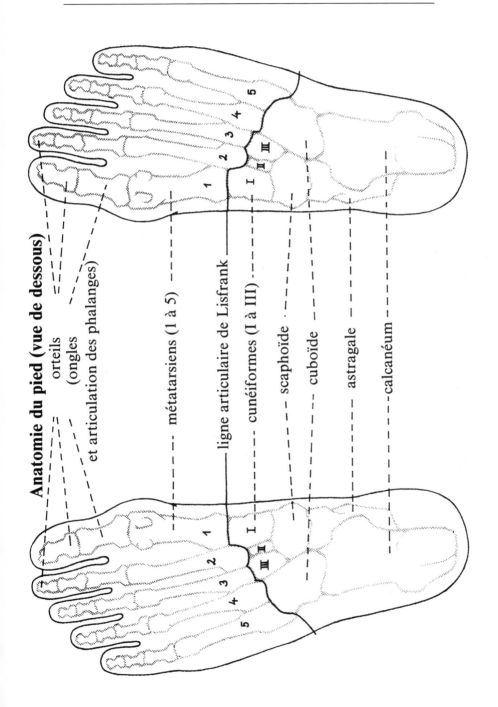

Anatomie du pied (vue de dessous)

orteils
(ongles
et articulation des phalanges)

métatarsiens (1 à 5)

ligne articulaire de Lisfrank

cunéiformes (I à III)

scaphoïde

cuboïde

astragale

calcanéum

Anatomie du pied (vue de l'extérieur)

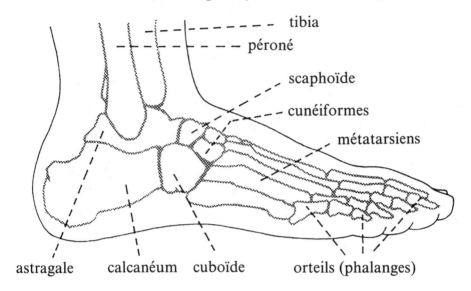

tibia
péroné
scaphoïde
cunéiformes
métatarsiens

astragale   calcanéum   cuboïde   orteils (phalanges)

Anatomie du pied (vue intérieure)

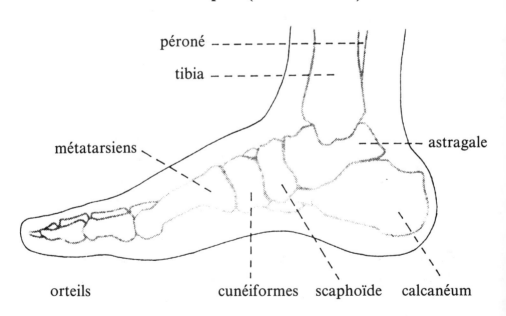

péroné
tibia
métatarsiens
astragale

orteils   cunéiformes   scaphoïde   calcanéum

Le pied, point d'appui du corps

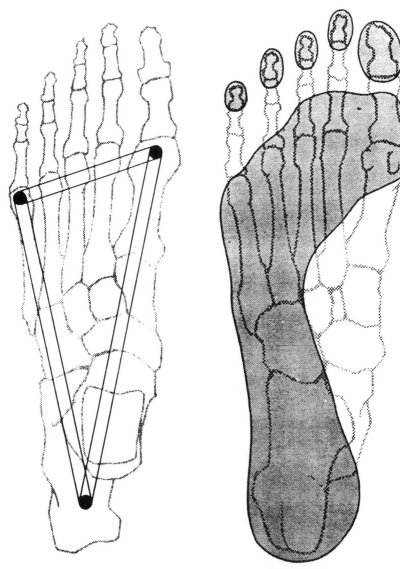

La structure du pied montrant les points où la pression s'exerce.

La surface qui supporte le poids du corps est coussinée afin de protéger les os.

Les pieds sont un miroir des deux moitiés du corps

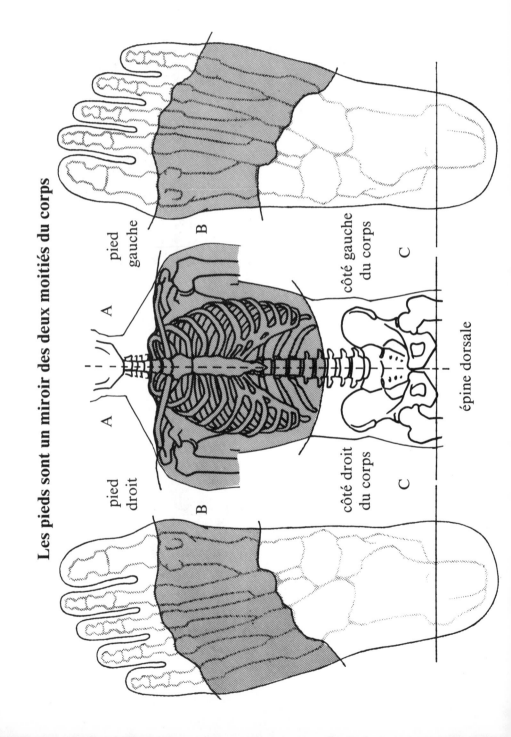

pied
gauche

B

A

A

pied
droit

B

côté gauche
du corps

C

côté droit
du corps

C

épine dorsale

Les zones longitudinales et tranversales
du corps et du pied

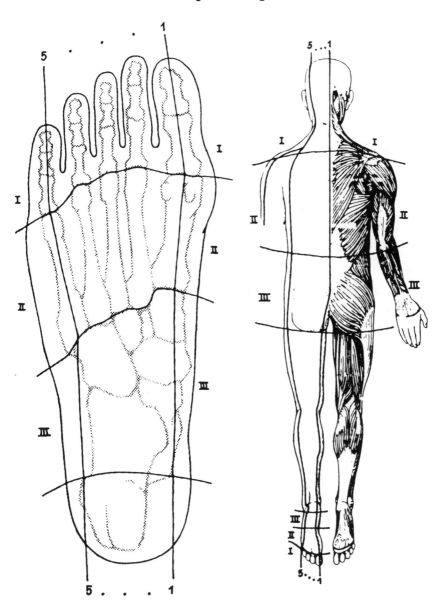

plante du pied droit   vue arrière du corps

malades, les régions cutanées correspondantes deviennent très sensibles à la douleur.

La réflexothérapie se fonde sur la théorie des zones et utilise le mot *réflexe* pour désigner la *réflexion* des différentes parties du corps sur le pied. Cette réflexion n'est pas limitée à la plante du pied ; elle se manifeste aussi sur les deux côtés et sur le dessus du pied, jusqu'au haut de la cheville. Il y a également des zones réflexogènes sur les mains, le nez et les oreilles.

On ne saurait trop insister sur le fait qu'il s'agit de zones et non de points précis. L'emplacement exact et l'étendue de chaque zone varient selon la constitution de chaque individu. Les zones ne sont pas strictement délimitées et leurs limites ne peuvent être définies d'une manière universelle. Ce sont des régions qui chevauchent et il faut la main expérimentée et l'intuition d'un thérapeute pour les découvrir.

Il faut également rappeler que la réflexothérapie envisage la douleur dans un esprit positif. La douleur est en effet la gardienne de notre santé. Elle est une alliée et non une ennemie. De nombreuses thérapies sont fondées sur une fausse conception de la douleur et la combattent comme un symptôme de la maladie. Le réflexothérapeute voit les choses différemment. Une région sensible du pied est un signal indiquant qu'il y a un problème dans l'organisme. Il serait absurde de croire qu'on fait disparaître le danger en faisant taire le signal d'alarme.

Voici un exemple vécu qui illustre bien ce point de vue. Un jour, une femme s'est présentée à notre clinique.

Elle avait déjà subi de nombreux tests et examens afin de découvrir les causes d'un vague malaise qu'elle ressentait dans tout son corps. En montant sur la table de massage, elle dit en blaguant que sa dentition était la seule partie de son corps qui ne la faisait pas souffrir. En fait, un examen attentif de ses pieds révéla le contraire. Le seul véritable problème semblait localisé dans la zone réflexogène des dents. Le traitement fut immédiatement entrepris dans cette zone et, après quelques heures, la patiente commença à souffrir de maux de dents et se rendit à une clinique dentaire. Tant que l'origine du problème restait cachée, la douleur irradiait dans tout le corps de cette patiente. À la suite de ce traitement et de sa visite chez le dentiste, les problèmes de cette femme disparurent complètement. Plus jamais elle n'eut à se plaindre de douleurs rhumatismales.

Les pieds sont un miroir du corps

Les pieds doivent être considérés comme formant une paire, comme un tout qui reflète l'ensemble du corps humain. On consulte donc la carte du corps dans les deux pieds à la fois et l'on ne pense jamais au pied gauche indépendamment du pied droit.

Lorsqu'on étudie les pieds, il faut toujours garder en tête les points suivants :

1. À partir des zones du corps, on peut localiser sur le pied chaque organe et chaque partie du corps dans la zone correspondante. L'étendue de la zone dépend souvent de la taille de l'organe correspondant.

2. Les zones réflexogènes des pieds correspondent aux emplacements des organes. Par exemple, la zone du cœur est derrière celle des poumons.

3. Le côté droit du corps se reflète dans le pied droit et le côté gauche, dans le pied gauche.

4. Les organes jumeaux comme les poumons, les reins et les ovaires se retrouvent chacun dans un pied. Les organes simples, comme le cœur et le foie, se retrouvent dans le pied gauche ou droit selon leur position dans le corps.

5. La position des organes et des parties du corps est aussi reflétée dans les zones des pieds. Les organes centraux, comme l'œsophage, se retrouvent sur le côté intérieur du pied, tandis que les parties externes, comme l'articulation de l'épaule, se retrouvent sur le côté extérieur du pied.

6. Les zones réflexogènes des organes sont plus facilement accessibles par la plante du pied. En revanche, il est plus facile de traiter les nerfs, les muscles et les os à partir du dessus du pied.

4. Les principes des massages

L'attitude du thérapeute

Il arrive que le désir d'aider un patient soit trop fort et que la volonté d'améliorer son état prenne le dessus sur la thérapie. Les tensions physiques et émotionnelles du thérapeute se manifestent dans son travail et peuvent constituer des blocages nuisant aux effets naturels du massage.

Dans le *Bhagavadgita*, on peut lire : *Que ton travail soit ta seule préoccupation — ne te soucie pas de ses fruits.* C'est un conseil qui s'applique à la réflexothérapie. Notre but n'est pas d'enrayer la maladie et ses symptômes. Cette thérapie est fondée sur le patient et sa réussite dépend entièrement de ses forces vitales. Le thérapeute doit être capable de communiquer sa confiance au patient.

Trop de personnes vont chercher une aide extérieure sans songer à se prendre elles-mêmes en main. L'attitude la plus positive d'un thérapeute en est une d'entière confiance dans les pouvoirs de guérison de son patient. Cela ne doit pas être obnubilé par une trop grande volonté de réussite. L'attitude du thérapeute influencera le degré d'autodétermination du patient. Lorsqu'une personne demande de l'aide, elle se trouve dans une position de vulnérabilité et peut aisément être influencée. Il est alors très facile de la convaincre de la validité de son propre point de vue.

Peu importe son expérience et sa connaissance des êtres humains, le thérapeute a toujours un point de vue limité et le patient est ultimement la seule personne capable de dire ce qui lui convient le mieux. Il faut se concentrer sur la libération des blocages afin de rétablir le flux d'énergie. Toute autre préoccupation risque d'entrer en conflit avec les forces vitales du patient et mener à une impasse.

Si les progrès tardent à se manifester, le thérapeute devrait se demander si son attitude est bien celle qui convient. Après tout, la réflexothérapie n'est pas fondée sur des idées préconçues et le thérapeute n'est pas personnellement responsable de la guérison de son patient. Il s'agit simplement de donner aux pouvoirs de guérison du patient l'opportunité de se manifester, puis de les soutenir et de les stimuler.

La position du patient

La position du patient est primordiale pour la réussite d'un massage thérapeutique. Les points les plus importants s'appliquent également aux autres types de massages :

1. Le patient doit être placé sur une banquette confortable, de préférence munie du supports réglables pour la tête et les pieds.
2. Placer des coussins sous le cou et sous l'articulation des genoux afin de maintenir une posture de détente.
3. Le traitement devrait se faire dans une pièce bien chauffée et ventilée, dont l'atmosphère est calme et chaleureuse, ou encore à un endroit où le patient se sent à son aise, comme par exemple à la maison.
4. Laisser au patient le temps d'adopter une posture confortable et détendue. L'espace de travail devrait être suffisant pour ne pas donner une impression d'exiguïté.

Le patient doit se mettre à son aise, desserrer ses vêtements et se couvrir avec une couverture s'il le désire. Les vêtements qui gênent la respiration, comme les soutiens-gorge et les corsets, doivent être enlevés. Si le patient a du mal à se détendre les pieds avant le massage, on peut lui offrir une couverture. Une fois couverts, les pieds se tourneront d'eux-mêmes vers l'extérieur dans une posture détendue.

La meilleure position pour un massage est la position couchée. Si le patient est assis, les angles formés par les articulations des hanches et des genoux nuiront au traitement. Les jambes du patient doivent être plus élevées que le bassin et son dos doit être légèrement redressé afin que le contact visuel avec le thérapeute — qui est capital afin d'établir une relation de confiance — soit maintenu. Ce contact visuel est aussi important pour le thérapeute qui doit pouvoir interpréter les réactions du patient et modifier son traitement en conséquence.

L'usage des mains

Le seul outil nécessaire en réflexothérapie est une paire de mains. Même si le mot *outil* a une connotation technique ou mécanique, l'usage des mains à des fins thérapeutiques est beaucoup plus subtil. Comme dans d'autres formes de comportement humain, l'usage des mains en réflexothérapie exprime l'échange et la relation interpersonnelle.

Durant un massage, le mouvement des mains est dynamique et fluide. Les mains s'adaptent merveilleusement au massage des pieds. Lorsque les mains sont en contact avec les pieds, ces derniers doivent rester détendus et les mains doivent s'y adapter. Les pieds ne sont pas des objets fixes et rigides. Durant un massage réflexothérapeutique, ils ne font qu'un avec les mains du thérapeute.

Bien que toute la main joue un rôle important dans le massage, le pouce mérite une attention particulière. L'extrémité du pouce est le point de contact par lequel l'énergie dynamique de la main stimule les réflexes de guérison. C'est l'une des principales différences entre les massages réflexothérapeutiques et les massages ordinaires.

Le thérapeute appuie l'extrémité de son pouce contre le pied du patient avec une pression adaptée à chaque individu et dans un mouvement à la fois énergique et détendu. Le pouce ne doit ni plier ni rester droit. Il doit progresser subtilement, un peu à la manière d'une chenille. C'est pourquoi l'on appelle ce mouvement la marche du pouce. Il se caractérise par une alternance de pression et de détente, passant d'une phase active, où le pouce pénètre les tissus du pied, à une phase passive, où il reprend sa position de départ. Tandis que le pouce se retire, la main se déplace automatiquement vers l'avant d'un façon rythmique. Ce type de massage rythmique harmonise le flux d'énergie dans les tissus traités.

La main progresse toujours vers l'avant et reste continuellement en contact avec le pied. Le pouce ne se plie jamais complètement, car un tel mouvement deviendrait épuisant pour le thérapeute et entraînerait une tension chez le patient — sans compter le risque d'enfoncer l'ongle dans le pied du patient.

Dès que vous commencerez à pratiquer, vous constaterez que la meilleure méthode consiste à avoir une prise souple qui s'adapte bien au pied. La prise doit pouvoir s'adapter aux circonstances et aux besoins, et permettre de varier la stimulation en fonction du problème et de la sensibilité du patient.

Pour le réflexothérapeute, la main n'est pas qu'un simple outil de massage. Elle est un récepteur sensible des sentiments et un moyen de communication entre le thérapeute et son patient. Les capacités sensorielles de la main

Directions recommandées pour les massages

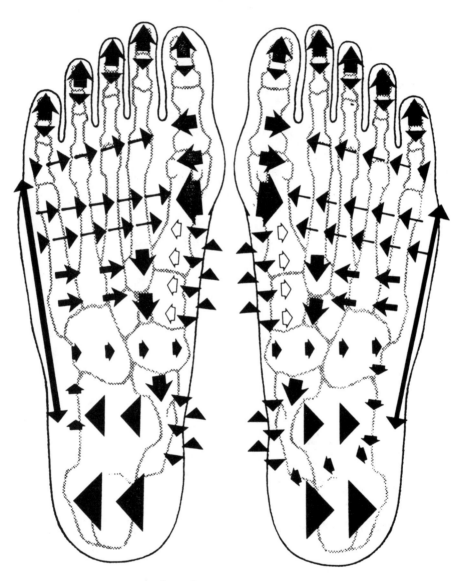

les plantes des pieds

Directions recommandées pour les massages

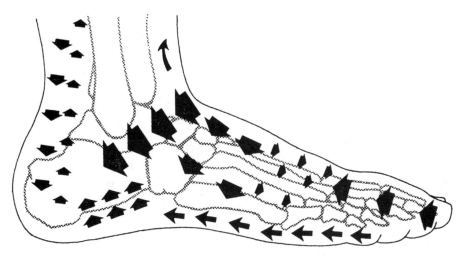

l'extérieur du pied

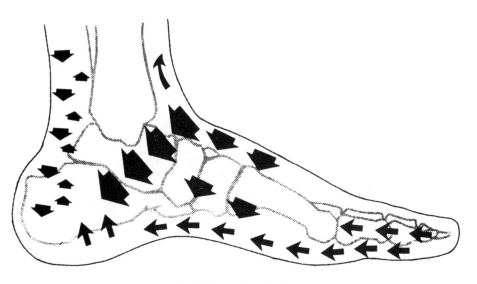

l'intérieur du pied

constituent un aspect important du travail de tout thérapeute — un aspect qu'il développera et raffinera avec l'expérience.

Il n'y a pas de règle fixe gouvernant le rythme du massage ou l'intensité de la pression. Seule la pratique permet au thérapeute de sentir ces choses.

Au début d'un massage thérapeutique, le masseur doit concentrer son attention sur les réactions du patient qui lui indiqueront dans quelle voie il faut poursuivre.

Le massage *dynamique* normal a deux fonctions principales :

1. Activer, tonifier et renforcer. Un massage énergique et rythmique harmonise le flux d'énergie dans les zones visées et améliore leur fonctionnement.

2. Calmer et soulager. Une pression uniforme et immobile du pouce pendant une ou deux minutes apporte un effet calmant, particulièrement dans les cas de problèmes aigus comme les coliques, la névralgie, l'hémorragie, les maux de dents, les troubles nerveux et les contractions musculaires.

L'ordre dans lequel les différentes zones sont massées n'a aucune importance. La direction du massage viendra d'elle-même et l'ordre choisi répondra le plus souvent à des critères pratiques déterminés par la proximité des zones à masser.

Le début du traitement

Le patient étant étendu confortablement de la manière décrite plus haut, le thérapeute s'assied — de préférence sur un tabouret pivotant —, le dos droit et les muscles détendus, à la portée des pieds du patient. Il ne devrait jamais poser les pieds du patient sur ses genoux. La posture du patient doit permettre à celui-ci de laisser le massage se faire et de s'ouvrir au traitement qui vient de l'intérieur ; il ne devrait pas se sentir désarmé entre les mains du thérapeute. Le patient doit avoir le sentiment qu'il peut retirer ses pieds à tout moment.

Le premier contact physique (qui suit le contact visuel et la conversation) se produit lorsque le thérapeute déplace ses mains sur les pieds du patient en un mouvement de va-et-vient. Ce contact permet de développer la relation de confiance entre le patient et son thérapeute tout en donnant à ce dernier de précieuses informations se rapportant aux pieds :

1. Température.
2. Rigidité.
3. Tonus des muscles et des tissus.
4. État de la peau.

Au cours de la première session, le thérapeute tente d'obtenir un portrait aussi global que possible de son patient. On dit de cette première session qu'elle est exploratoire. Les méthodes d'exploration sont la vue et le toucher. En réalité, l'exploration visuelle est secondaire et ne vient que confirmer les observations effectuées lors de l'exploration tactile.

Tandis qu'il passe systématiquement en revue toutes les zones réflexogènes des pieds, le thérapeute alterne les pressions exploratoires et les mouvements de friction de manière à détendre le patient et à raffermir sa confiance. Le thérapeute consigne ses observations dans un dossier qu'il pourra consulter lors de visites subséquentes. De tels dossiers ne devraient cependant pas empêcher le thérapeute de demander chaque fois au patient comment il se sent, de façon à obtenir des informations fraîches et directes. L'attitude et les réactions du patient varient continuellement et les notes au dossier ne servent qu'à titre indicatif.

Chaque personne a des pieds uniques qui révèlent des caractéristiques qui lui sont propres. Cet aspect personnel est l'un des plus fascinants de la réflexothérapie. L'étude et l'expérience vous apprendront à comprendre le langage des pieds et vous réaliserez qu'ils recèlent des informations sur toute la vie d'une personne.

La meilleure façon de comprendre un patient consiste à découvrir comment il se sent. Si on l'écoute attentivement, il l'exprimera d'une manière spontanée. Le patient donnera la clef de sa guérison. Dans son livre *Köperbewusstein (La Conscience du corps)*, Ken Dychtwald affirme que notre personnalité et nos attitudes face à la vie dépendent non seulement du bon fonctionnement de notre organisme, mais aussi de la manière dont il s'est formé et structuré. Dans le livre d'Alexander Lowen, *Bioenergetik (La Bio-énergie)*, on peut lire que l'homme est la somme de ses expériences et que chaque événement de sa vie est enregistré dans son corps et sa personnalité. Tout comme on peut connaître l'histoire d'un arbre en lisant ses cernes de croissance, on peut apprendre l'histoire d'un homme en interprétant son corps.

Avec la pratique, l'étudiant en réflexothérapie sera en mesure d'apprécier les progrès accomplis et les succès remportés. Et il n'y a rien de tel que de sentir la réussite littéralement au bout de ses doigts.

L'examen visuel des pieds du patient apportera des informations se rapportant à :

1. La structure osseuse.
2. L'état de la peau.
3. L'état des tissus.

La structure osseuse du pied est un chef-d'œuvre de génie qui supporte tout le poids du corps. L'ostéopathie et l'orthopédie nous ont appris toute l'importance de l'équilibre dynamique des os du pied. Les difformités peuvent causer des blocages entraînant un dérèglement important des zones réflexogènes des pieds. Par exemple, un affaissement de la voûte plantaire pourra affecter les zones réflexogènes de l'épaule et des voies respiratoires.

Chaque formation anatomique anormale des os du pied déréglera les zones réflexogènes qui l'entourent. Si la difformité est évidente, comme dans le cas d'un valgus (voir les planches en couleurs), un simple examen visuel permettra de détecter des problèmes potentiels au niveau du cou et des vertèbres cervicales. Un examen de l'état des tissus pourra révéler des blocages lymphatiques. Par exemple, des tissus en mauvais état dans la région de la cheville ou à la base des orteils indiqueront respectivement des troubles génitaux ou de la poitrine.

L'examen visuel tire de précieuses informations de l'état de la peau. En réflexothérapie, ce n'est pas le degré d'altération de la peau qui compte le plus, mais l'endroit où on l'observe. L'emplacement des verrues, du pied d'athlète, des ampoules, des cors, des gerçures, des desquamations, des varices, des callosités et des cicatrices, ainsi que la forme de chaque ongle d'orteil, sont très révélateurs des problèmes de l'organisme.

Les varices et les zones infestées de verrues ne doivent pas être massées. Le massage risquerait d'endommager les veines variqueuses, de propager les verrues et même d'infecter le thérapeute. Les verrues doivent être traitées par un podiâtre.

Le patient ne devrait cependant pas visiter son podiâtre avant le premier traitement en réflexothérapie, sinon de nombreux indices importants ne seraient alors plus visibles.

Le langage des pieds

Nos pieds ne sont pas uniquement un miroir de notre état et de notre développement, ils symbolisent aussi notre mobilité et nos relations avec les progrès de la vie et les mouvements de l'univers. Dans *Tao-te-king*, on peut lire : *Là où se trouvent tes pieds commence un voyage d'un millier de milles.* Nos pieds portent l'image de notre moi et de notre relation avec le monde. C'est ce qui ressort des expressions *avoir bon pied bon œil, se lever du pied gauche, perdre pied, être sur pied, retomber sur ses pieds* ou *avoir les pieds sur terre.* Toutes ces locutions décrivent un mode de relation avec le monde. Nos pieds sont notre point de contact avec la terre ; ils font aussi le lien entre nos vies terrestre et spirituelle. Les pieds ont une valeur symbolique importante dans plusieurs religions ; qu'on se rappelle le lavement des pieds fait par Jésus. À travers nos pieds, nous restons en contact permanent avec le monde extérieur.

Il y a des milliers d'années les Chinois ont imaginé que les différentes parties du corps représentaient des points de contact différents avec le monde extérieur : la tête est en contact avec le ciel, les mains établissent le contact avec les autres par le toucher et le travail, les mamelons nous relient au processus d'alimentation, les organes génitaux portent les germes d'une vie nouvelle, l'anus représente les cycles de la matière et les pieds nous mettent en contact avec la terre par le mouvement.

D'autres locutions font ressortir le fait que le pied est synonyme de mouvement. On dit *avoir un pied dans la porte* pour signifier qu'on est en voie d'atteindre un résultat. On dit également qu'on a *trouvé le pas* pour indiquer que l'on sait où l'on va.

Bien que nos pieds nous transportent à travers la vie, c'est une partie du corps qui est très souvent négligée. Des chaussures trop serrées ou mal ajustées peuvent causer d'importants dommages aux pieds et affecter conséquemment leurs zones réflexogènes. Un très grand nombre de facteurs internes et externes peuvent affecter les pieds. Il pourra en résulter un dérèglement des zones réflexogènes selon la durée et l'intensité de l'irritation.

Les problèmes de pieds les plus courants peuvent avoir les causes suivantes :

1. Fatigue ou excès d'efforts constant.
2. Blessures.
3. Troubles héréditaires (pied plat).
4. Troubles circulatoires (varices).
5. Maladies rhumatismales.

De tels problèmes ont toujours pour effet d'affaiblir le patient et peuvent indiquer des troubles spécifiques susceptibles d'être traités par la réflexothérapie. Il est toutefois impossible de préciser quelles seront la nature et la durée exactes de ces troubles. Le thérapeute n'est pas en mesure de poser un diagnostic ; il se contente de donner un traitement qui, bien sûr, lui apportera avec le temps des précisions sur la nature des problèmes du patient.

La réaction du patient à la douleur, ainsi que l'examen visuel et tactile du thérapeute, pourront révéler un excès de pression dans certaines zones réflexogènes. Une telle pression peut être due à l'un des facteurs suivants :

1. Efforts ou fatigue excessifs.
2. Maladie latente dont les symptômes ne sont pas encore apparents.
3. Maladie aiguë ou chronique.
4. Hyperactivité ou hypoactivité organique.
5. Atrophie ou dégénérescence.
6. Prédisposition héréditaire à la maladie.
7. Blessures ou accidents.

Comme nous l'avons déjà vu, le thérapeute ne doit pas tenter de poser un diagnostic ; là n'est pas l'objet de la

Différentes formations du pied

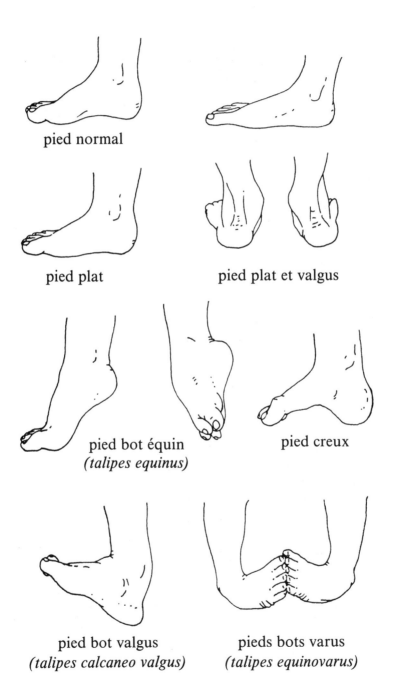

pied normal

pied plat

pied plat et valgus

pied bot équin
(talipes equinus)

pied creux

pied bot valgus
(talipes calcaneo valgus)

pieds bots varus
(talipes equinovarus)

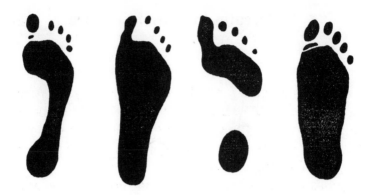

pied normal   pied plat   pied creux   pied plat valgus

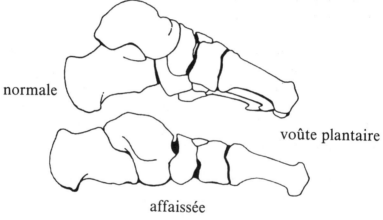

normale

voûte plantaire

affaissée

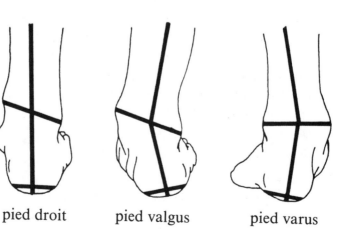

pied droit   pied valgus   pied varus

réflexothérapie. Pour répondre aux questions du patient qui s'inquiète de la douleur qu'il ressent, le thérapeute expliquera qu'il s'agit de signaux indiquant un problème dans la zone correspondante du corps. Il pourra préciser de quel organe ou de quelle partie du corps il s'agit, mais sans se prononcer sur la nature ou sur la gravité du mal.

Expérience subjective et résultats objectifs

Il faut expliquer le traitement au patient avant de commencer les massages. Dès le départ, il est essentiel de lui expliquer sommairement en quoi consiste la réflexothérapie, quelles sont ses possibilités et ses limites. Il faut aussi le prévenir des réactions qu'il peut avoir durant le massage afin qu'il y soit préparé et qu'il n'entretienne pas de fausses attentes à son endroit. Lorsque le patient sent que le massage a déclenché quelque chose dans son corps, c'est le signe que ses pouvoirs de guérison ont été activés. Lorsque des parties du corps rigides ou tendues sont assouplies par un massage, il en résultera un assouplissement de l'esprit. En effet, la réflexothérapie traite la personne dans son entité et l'esprit comme le corps est chargé de vie. Là où il y a mouvement, il y a vie. Et là où il y a vie, il y a changement. Il ne s'agit pas simplement de modifier les symptômes d'une maladie, mais de transformer la personne au complet.

Les trois activités fondamentales de la vie sont la pensée, l'action et le mouvement. Ensemble, elles ne font qu'un. Si l'une de ces activités est soumise à un blocage, les autres s'en ressentiront. En traitant les zones réflexogènes du pied, on s'intéresse au principe du mouvement, mais cela peut avoir des conséquences sur d'autres aspects de la personnalité, sur la façon de penser ou d'agir du patient.

Tout comme la thérapie ne peut être appliquée universellement de la même manière, mais doit plutôt s'adapter aux besoins et aux individus, les réactions des patients seront elles aussi très variées. Leur seul véritable point commun est que les zones affectées seront particulièrement sensibles.

La pression thérapeutique du pouce est souvent ressentie comme un douleur très aiguë, un peu comme si le thérapeute enfonçait l'ongle de son pouce dans le pied du patient. La sensibilité du patient face à la douleur est très utile pour guider le reste du traitement en termes de durée et d'intensité de la pression exercée.

Il faut établir une distinction entre deux types de réactions : durant les traitements et entre les traitements.

Les réactions durant les traitements peuvent s'exprimer par des grognements, des soupirs, des signes d'inconfort ou des contractions musculaires. On pourra observer une sudation dans la paume des mains et ailleurs sur le corps. Cela est un signe que le patient atteint sa limite de tolérance à cette phase du traitement. Le thérapeute ne doit pas y voir un signe que le massage commence à donner des résultats. Il ne doit pas aller plus loin dans cette zone. Si le thérapeute continue une sensation de froid s'installera dans les pieds et les jambes du patient, indiquant que la transmission d'énergie a cessé et que la tolérance du patient au traitement a été dépassée.

De nombreux thérapeutes font état de crampes de type tétanique pouvant amener certains troubles circulatoires (Marquandt, 1981). Je n'ai jamais observé de telles réactions, qui sont d'ailleurs le signe que le traitement s'est poursuivi au-delà du seuil normal de tolérance.

Si le patient éprouve l'une ou l'autre des sensations désagréables décrites ci-dessus, le thérapeute devrait modifier son traitement en conséquence. En aucun cas faudra-t-il interrompre le traitement. On devra plutôt modifier la durée et l'intensité des pressions.

Le thérapeute devrait alterner les pressions du pouce avec des frictions des mains afin que le corps du patient ait la chance de récupérer. En utilisant une telle méthode, les réactions d'inconfort du patient se limiteront à une légère sudation des paumes des mains.

Après le massage, les pieds doivent être détendus, ni trop chauds, ni trop froids. Au cours des premières sessions d'un traitement, l'organisme n'aura pas encore mis au point son système de régulation thermique et il sera peut-être nécessaire de réchauffer les pieds avec une bouillotte ou une couverture. Les pieds ne devraient jamais être laissés froids au terme d'un massage.

Lorsque les articulations à la base des orteils sont souples, c'est un signe que le patient est parfaitement détendu. Le craquement de ces articulations lorsqu'on demande au patient de soulever les orteils est un autre signe de détente générale. La sensation de détente des épaules et de la nuque entraînée par le massage de la zone correspondante du pied permet aussi de juger de l'état de relaxation du patient.

Les réactions entre les traitements permettent de constater les effets des massages. Elles sont surtout remarquables entre le troisième et le septième massage. Si les traitements sont donnés correctement et d'une manière professionnelle, ces réactions seront normales. Elles indiquent que l'organisme a commencé à réagir — parfois d'une manière désagréable ou douloureuse — et qu'il a entrepris le processus de guérison. Les patients souffrant de maladies chroniques éprouvent au cours de cette période une grande faiblesse et des douleurs plus fortes, car leur maladie doit devenir aiguë avant de disparaître complètement.

Selon la gravité des réactions, le traitement pourra être modifié ou retardé afin de laisser à l'organisme le temps de récupérer en vue de la prochaine étape.

Les réactions suivantes peuvent se produire entre les traitements :

1. La peau peut être affectée par des modifications métaboliques. Il peut en résulter des boutons et une transpiration plus abondante.
2. Les reins peuvent être stimulés et produire une plus grande quantité d'urine. Le patient pourra éprouver des besoins d'uriner plus fréquents.
3. Le tonus de la peau et la texture des tissus seront améliorés par une meilleure circulation.

4. Le patient pourra dormir mieux avec, à l'occasion, des périodes d'insomnie.
5. Les mouvements intestinaux seront plus réguliers et plus fréquents et seront souvent accompagnés de gaz.
6. On pourra observer une augmentation des sécrétions des muqueuses du nez, de la bouche et des bronches.
7. Le patient pourra connaître de brèves crises de fièvre. La fièvre est un moyen de défense naturel qu'il ne faut pas contrecarrer. Dans ce cas, il ne s'agit pas d'un signe de maladie.
8. Une maladie latente peut se manifester. Il arrive souvent qu'une maladie n'ayant pas été totalement guérie soit réactivée par le traitement avant de disparaître complètement.
9. On pourra observer des modifications psychiques et des changements d'attitudes. Cette méthode de traitement holistique entraîne fréquemment un changement dans l'humeur générale du patient. Ces modifications s'accompagnent souvent d'un changement d'attitude qui peut influencer le mode de vie du patient. Au cours du traitement, il est fréquent que le patient connaisse le fou rire ou des crises de larmes.

Si le thérapeute travaille en collaboration avec un médecin, l'évaluation des réactions du patient ne posera aucun problème. Si le thérapeute soupçonne la possibilité d'une maladie grave, il devra conseiller au patient de consulter son médecin.

Pour devenir un véritable maître dans sa discipline, il faut connaître ses limites. La réflexothérapie a de formidables possibilités, mais elle a aussi ses limites. Plus nous accepterons et mieux nous comprendrons ces limites, plus nous pourrons accomplir pour nos patients.

Les réactions du thérapeute

À cause de l'énergie qui circule entre lui et son patient, le thérapeute pourra lui aussi avoir certaines réactions. Il est bon de le savoir afin de pouvoir s'y préparer. Très souvent, il s'agira d'une simple sensation de fatigue accompagnée d'une envie de bâiller. Plus rarement, il pourra s'agir de maux de tête et de nausées, mais ces réactions sont toujours précédées par des signes avant-coureurs qui permettent de prendre des mesures préventives. Parmi ces signes avant-coureurs, on note les palpitations aux doigts dont la température est trop basse ou trop élevée. On se débarrasse de cette sensation en secouant les mains vigoureusement vers le bas ou en les passant à l'eau froide, une procédure qui devrait être routinière à la fin d'une session de massages. Les bâillements, la toux et les soupirs ne doivent pas être réprimés ; ils permettent à l'organisme de se libérer de l'énergie excédentaire. Il est préférable d'avertir le patient de ces réactions afin qu'il n'interprète pas mal vos bâillements.

Ce qu'il faut faire devant de fortes réactions inattendues

Malgré toutes les précautions prises par le thérapeute, il peut arriver que le patient présente des réactions imprévisiblement fortes. Dans un tel cas, il faut procéder comme suit. On doit d'abord rester calme et attentif afin de calmer le patient. Il faut aussi se rappeler la règle de Arndt-Schulz qui dit que *les stimuli faibles sont bénéfiques, que les stimuli forts sont nuisibles et que les stimuli très forts sont dommageables*. On peut en déduire que le patient a été soumis à des stimuli trop forts et que la violence de sa réaction l'a entraîné dans un état de déséquilibre. Des stimuli très faibles seront nécessaires pour rétablir l'équilibre du patient.

Si le patient présente des signes d'agitation durant le massage, une faible friction des deux pieds suffira habituellement pour le calmer. Pour détendre la région pelvienne, libérer la poitrine et faciliter la respiration, le massage des talons illustré à la fin des planches en couleurs est généralement très efficace. En stimulant faiblement les zones correspondant au plexus solaire sur les deux pieds, on obtiendra une détente du diaphragme et une sensation générale d'harmonie. Si nécessaire, on pourra stimuler les glandes endocrines en massant doucement les zones correspondant à l'hypophyse et aux glandes parathyroïdes et surrénales.

Si une *urgence* de ce genre se présente, il suffira souvent d'interrompre le massage et de prendre les pieds du patient entre ses mains afin de lui donner une impression de chaleur et de sécurité. Cela dissipe habituellement la crainte de réactions inattendues. On laissera alors le patient se reposer (sous observation) afin que son organisme récupère. Si nécessaire, on couvrira le patient afin qu'il reste au chaud.

En libérant les blocages de l'organisme, les massages thérapeutiques peuvent entraîner le déplacement des calculs biliaires ou rénaux. Si cela se produit ou peut être prévu, le thérapeute devrait encourager son patient à consulter un médecin et collaborer avec ce dernier.

L'âge du patient

Vous vous demanderez peut-être si un patient est trop jeune ou trop âgé pour un tel type de traitement. En réalité, comme la réflexothérapie s'intéresse à la personne plutôt qu'à la maladie, aux sentiments plutôt qu'aux symptômes, l'âge n'a pas la moindre importance. Les limites du traitement seront imposées par le seuil de tolérance du patient et par ses réactions aux massages. Tant que le corps du patient peut subir le massage et y réagir, rien ne pourrait empêcher le traitement. Ce type de thérapie est même recommandé aux personnes âgées qui ne souffrent pas d'une maladie spécifique. Quelques sessions de massages par année contribueront à tonifier leur organisme et à leur apporter une sensation générale de mieux-être.

Nous avons également pu observer de très bons résultats dans le traitement des enfants et même des bébés. La plupart des enfants sont plus détendus et plus souples que les adultes et ils apprécient un massage thérapeutique bien adapté. Leurs jeunes corps sont très réceptifs aux stimuli. Plus le patient est âgé et plus son corps a été soumis à des déséquilibres, plus les signes seront évidents et plus il faudra du temps pour rétablir l'équilibre.

Il est relativement facile de traiter les problèmes héréditaires chez les enfants, qui réagissent beaucoup plus rapidement que leurs parents.

La durée du traitement
et le nombre de sessions

Si le patient ne souffre pas d'un problème aigu, deux sessions par année suffiront pour activer et stabiliser son énergie vitale. Dans les cas de troubles aigus, les massages dureront environ dix minutes et seront quotidiens au début du traitement. En l'absence de problème aigu, il est difficile de déterminer combien de sessions seront nécessaires à un individu. Cela dépend de nombreux facteurs.

1. La constitution du patient.
2. Le cours de sa maladie.
3. Son âge.
4. La réactivité de son organisme au traitement.
5. Son mode de vie.
6. Son attitude face au traitement.

Fondamentalement, tant que le patient réagit bien au traitement, il vaut la peine de le poursuivre. Règle générale, un traitement comprendra entre huit et douze sessions de massages. Je recommanderais deux sessions hebdomadaires au cours des deux premières semaines, puis une session hebdomadaire par la suite. Cela ne tient cependant pas compte de la manifestation de problèmes aigus ou de réactions inattendues. Dans de tels cas, le thérapeute expérimenté saura comment traiter ces situations d'urgence.

Très souvent, le patient fera des progrès importants à la suite de la première session. Les sessions subséquentes serviront à stabiliser son état et à consolider ses progrès.

La première session, qui comprend la prise de contact avec le patient ainsi que l'examen visuel et tactile, devrait durer deux fois plus de temps que les sessions suivantes. En moyenne, une session de massages dure environ 25 minutes. Si les massages durent trop longtemps, le patient risque d'être trop stimulé. Par contre, s'ils ne durent pas assez longtemps, les stimuli seront insuffisants pour déclencher le processus de guérison.

Si l'on n'observe aucune réaction après plusieurs sessions, il se peut que le corps du patient soit temporairement non réceptif aux stimuli. Il est alors conseillé d'interrompre le traitement pour laisser au corps le temps de s'adapter. Certains facteurs extérieurs peuvent aussi empêcher l'action des stimuli, par exemple si le patient consomme beaucoup de médicaments. Il faudra alors discuter du cas avec le médecin du patient. Il se peut aussi que les progrès se fassent à un autre niveau que le niveau physique et que le patient soit en voie de modifier son attitude face à la vie. Ce genre de réaction résulte souvent de la conscience accrue que le patient a de son corps et qui constitue l'un des bienfaits de la réflexothérapie. Un tel changement, qui se produit dans la conscience du patient, finira avec le temps par avoir des effets au niveau physique.

L'autotraitement et les accessoires

L'autotraitement est un complément indispensable à toute forme de thérapie ou de traitement médical. C'est une reconnaissance importante de la responsabilité de chacun à l'endroit de sa propre santé. Vu sous cet angle, il n'y a en principe rien de mal à se traiter soi-même.

S'il n'existe aucun problème aigu, le fait de se masser les pieds permet d'obtenir une sensation générale de bien-être et d'améliorer la circulation sanguine dans les zones réflexogènes. Cependant, l'autotraitement comporte des limites :

1. Il ne permet pas d'atteindre le même degré de relaxation.

2. Le stimulus thérapeutique ne peut être maintenu à un niveau constant parce que le corps donne en même temps qu'il reçoit.

3. L'influence exercée par la personnalité du thérapeute fait défaut et il n'y a pas d'échange d'énergie.

4. Il est difficile et parfois impossible de percevoir les réactions de son propre corps.

5. Les mains se fatiguent rapidement à cause de la posture inconfortable qui est adoptée.

6. À cause de tout ce qui précède, les chances de réussite sont considérablement réduites. Le traitement ne donne souvent aucun résultat, ce qui peut conduire le patient-thérapeute à rejeter la réflexothérapie comme étant inefficace.

Un certain nombre de thérapeutes utilisent des accessoires comme des sondes, des rouleaux, des sphères, des nattes ou des brosses. Quiconque utilise de tels gadgets ne respecte pas la véritable philosophie de la réflexothérapie. Ces accessoires sont des intermédiaires qui privent le patient du contact humain avec son thérapeute. La sensibilité des mains d'un thérapeute expérimenté ne saurait être remplacée par un objet inerte.

Les huiles ne devraient pas être utilisées en réflexothérapie, car elles rendent le pied glissant et nuisent à la prise
des mains. Le pouce glissera constamment hors de sa
position et le pied ne sera pas bien maintenu dans la main
du thérapeute.

Après le massage, on pourra — si le patient le désire
— rafraîchir ses pieds avec de l'huile ou un onguent. On
devrait cependant le mettre en garde contre les produits
en aérosol qui bouchent les pores de la peau et qui
empêchent la transpiration. Ces produits empoisonnent
l'organisme en l'empêchant d'éliminer ses déchets.

L'utilisation d'accessoires enlève beaucoup de valeur
aux massages. Ils sont sans doute inoffensifs lorsqu'on les
utilise pour traiter occasionnellement des patients qui ne
souffrent d'aucun problème aigu. Cependant, si le patient
est atteint d'une maladie, ces accessoires empêcheront le
thérapeute de découvrir la source du problème et ses
relations avec d'autres parties du corps. À cause de cette
ignorance, le traitement pourra alors faire plus de mal
que de bien.

En voici un exemple. Un homme de 45 ans avait placé
un rouleau pour les pieds sous son bureau et l'utilisait
presque continuellement. Au bout de quelques jours, il
eut une crise cardiaque et fut conduit à l'hôpital. Après
deux semaines d'examens très désagréables, ses médecins
conclurent qu'il n'avait rien. Extrêmement abattu, il se
présenta à notre clinique. À la suite de quatre sessions de
massages, son état était parfaitement stabilisé. Ce n'est
qu'à sa quatrième visite qu'il nous parla du gadget qu'il

avait acheté et qu'il utilisait avec enthousiasme avant sa crise — un détail qu'il avait omis de révéler à ses médecins. Il était évident que le trouble temporaire subi par cet homme avait directement été causé par son ignorance et par l'utilisation de ce soi-disant accessoire thérapeutique. C'est un exemple typique des ennuis que peut causer ce genre d'appareils.

En réflexothérapie, rien ne peut remplacer la main humaine. La main du thérapeute est sensible aux besoins du patient et sait comment s'y adapter.

Des cas qui ne peuvent être traités

Toute forme de thérapie a ses limites et la réflexothérapie ne fait pas exception à la règle. Il est essentiel de reconnaître ces limites et le thérapeute responsable doit diriger son patient vers une autre ressource lorsque son traitement se révèle inefficace. Les personnes souffrant des problèmes suivants ne devraient pas être traitées par la réflexothérapie.

1. Maladies infectieuses.
2. Fortes fièvres.
3. Inflammations des vaisseaux sanguins.
4. Inflammations du système lymphatique.
5. États nécessitant une chirurgie.
6. Maladies du pied rendant le traitement impossible.
7. Grossesses à risques.
8. Dépression chronique ou dépendance aux médicaments.

Dans certaines maladies graves comme le cancer, la sclérose en plaques ou la paralysie, la réflexothérapie ne peut enrayer la maladie, mais peut néanmoins améliorer l'état du patient en :

1. Soulageant la douleur d'une manière significative.
2. En stimulant les organes excréteurs et respiratoires.
3. En facilitant le contrôle du patient sur sa vessie et ses intestins.

En résumé

Nous avons vu les aspects fondamentaux de la réflexo-thérapie. Avant d'aborder les techniques de traitement en détails, il est utile de résumer ces grands principes.

1. Dans les cas de maladie spécifique, il est préférable de travailler en collaboration avec un médecin, préfé-rablement familier avec le concept et les techniques de la réflexothérapie.

2. Les massages thérapeutiques des pieds ne sont qu'une des nombreuses formes de la réflexothérapie. Son premier objectif n'est pas de poser un diagnostic. Elle peut toutefois déceler l'existence de problèmes dans les zones réflexogènes et les traiter. Il s'agit avant tout d'une excellente méthode de prévention.

3. Lorsque la réflexothérapie est utilisée pour traiter un malade, elle applique les principes des méthodes holistiques. Elle ne traite pas une maladie, mais une personne. Elle ne s'intéresse pas aux symptômes, mais aux causes profondes de la maladie.

4. La réflexothérapie ne doit pas être utilisée sans discrimination. Le thérapeute responsable reconnaît ses possibilités et ses limites. Il n'y voit pas une panacée instantanée.

5. Même si ses mains ne massent qu'une partie du corps — les pieds — le thérapeute doit toujours garder à l'esprit qu'il traite une personne dans son entité.

6. La réflexothérapie est une méthode naturelle qui est compatible avec toutes les autres thérapies naturelles, dont l'hydrothérapie, l'homéopathie, la diététique, les exercices respiratoires, l'acupuncture, etc. Si plusieurs formes de traitement sont entreprises en même temps, le patient doit toutefois prendre soin de ne pas abuser. Si l'organisme est bombardé de stimuli thérapeutiques, cela risque de faire plus de mal que de bien.

7. Si le patient est hyperactif, le thérapeute doit le calmer. S'il est indolent, il doit au contraire le stimuler.

8. Aucun accessoire ne peut remplacer la main sensible d'un thérapeute expérimenté.

9. Les plus grandes qualités d'un réflexothérapeute sont de vastes connaissances théoriques, une compréhension de l'interaction de l'âme et du corps, une attitude positive face au patient, un grande sensibilité au bien-être du patient et une intégrité thérapeutique à toute épreuve.

10. La réflexothérapie est un traitement qui est littéralement manuel.

11. Le contact humain et la sensibilité sont les aspects les plus importants de toute forme de thérapie. Toutes

les méthodes thérapeutiques qui se concentrent sur la personne insistent beaucoup sur le contact interpersonnel. La relation établie entre le réflexothérapeute et son patient est ce qui compte le plus. Si la réflexothérapie n'est considérée que comme une technique de massage purement mécanique, elle ne donnera pas les résultats qu'on attend d'elle.

5. Les zones réflexogènes des pieds

À la première session, les zones ne seront pas massées avec la même intensité qu'ultérieurement. Il s'agit d'abord de les palper à la recherche de signes anormaux. Ces signes sont détectés en comparant les réactions du patient à une pression uniforme exercée sur différentes zones. En fonction de la sensibilité du patient, le thérapeute pourra déterminer quelles zones sont normales et lesquelles ne le sont pas.

L'examen préliminaire, le traitement et ses résultats bénéficieront d'une écoute attentive de tout ce que le patient veut dire sur le sujet. En parlant de ses problèmes, il se libérera de sa nervosité et de ses inhibitions. Plus le patient est calme et détendu au début de la session, plus le travail du thérapeute sera facilité. En outre, les paroles prononcées par le patient fourniront souvent de précieux indices sur les origines du mal détecté lors de l'examen.

Ce qui distingue vraiment le thérapeute expérimenté, c'est son aptitude à évaluer la durée et l'intensité du traitement requis. Le succès ou l'échec dépend en grande partie de ce premier jugement. Le thérapeute doit être constamment à l'écoute des réactions de son patient afin de ne jamais dépasser son seuil de tolérance.

Les zones des pieds sont faciles à reconnaître une fois qu'on les a mémorisées. Tel que mentionné précédemment, leur emplacement relatif correspond à la structure anatomique du corps. Lorsqu'il commencera à pratiquer, l'étudiant en réflexothérapie constatera qu'une bonne connaissance des zones réflexogènes n'est pas une garantie de succès. Il faut également se rappeler que l'emplacement des zones peut varier légèrement d'un individu à un autre.

On doit toujours garder à l'esprit que les zones réflexogènes et les parties du corps auxquelles elles correspondent ne sont pas l'objet du traitement. Le traitement vise la personne dans son entité et, plus souvent qu'autrement, l'origine du mal se trouve à un endroit différent de celui où il se manifeste. Les thérapies holistiques font appel à ce que Paracelse appelait *le guérisseur intérieur de l'homme*. Elles stimulent l'organisme à se guérir lui-même. Une fois que les pouvoirs de guérison de l'organisme sont activés, le thérapeute n'a plus qu'à les supporter afin qu'ils rétablissent l'équilibre perdu.

Les thérapies holistiques considèrent l'homme en termes d'énergie, de forces vitales et de pouvoirs de guérison. Elles s'intéressent aux flux d'énergie qui parcourent le corps et qui sont l'essence même de la vie. Ce sont eux qui déterminent la personnalité et les caractéristiques physiques. Dans le système circulatoire, dans le système lymphatique et même dans le plasma sanguin, l'énergie ne cesse de parcourir le corps. Ces énergies du corps interagissent également avec le monde physique et social qui nous entoure. Nous réagissons tous à notre environnement et, dans ce jeu d'actions et de réactions, notre corps est l'expression de notre relation avec le monde. L'homme n'a pas un corps ; il est un corps qui enregistre tous les événements de son existence. Ces événements prennent parfois la forme de tensions dans diverses parties du corps et ces tensions causent des blocages qui empêchent la circulation de l'énergie. De ce point de vue, la réflexothérapie est un traitement de toute l'expérience d'une vie dans ses manifestations physiques. C'est pourquoi les *symptômes* n'indiquent pas des troubles spécifiques, mais sont plutôt l'expression de l'état dans lequel se trouve tout l'organisme humain, corps et âme.

Les zones réflexogènes organiques

La liste qui suit permet de voir en un coup d'œil les différentes zones réflexogènes organiques ainsi que leurs composantes.

1. *Les zones du système squeletto-musculaire*
   épine dorsale, articulations, muscles

2. *Les zones de la tête*
   crâne, tempes, sinus, mâchoires, cerveau, cervelet, cou, yeux, oreilles, dents, nez et gorge (amygdales, glandes lymphatiques, thyroïde, parathyroïde)

3. *Les zones du système respiratoire*
   bouche, nez, gorge, trachée, bronches, poumons, cage thoracique, diaphragme

4. *Les zones du système digestif*
   bouche, œsophage, estomac, pancréas, intestin grêle, côlon, rectum, vésicule biliaire, foie, appendice

5. *Les zones du cœur*

6. *Les zones du système urinaire*
   reins, urètre, vessie

7. *Les zones du système lymphatique*
   vaisseaux lymphatiques supérieurs, ganglions lymphatiques axillaires, rate, appendice, vaisseaux lymphatiques de l'aine, vaisseaux lymphatiques de la région pelvienne

8. *Les zones du système endocrinien*
   thyroïde, parathyroïde, surrénales, pancréas, ovaires, testicules, prostate, utérus (traité avec les glandes à cause de ses liens fonctionnels avec celles-ci)

Représentation systématique des zones réflexogènes

Les pages qui suivent donnent un aperçu général de la structure, de l'emplacement et des fonctions des différents organes ainsi que de l'emplacement des zones réflexogènes correspondantes. Tout au long de ce livre, il est fait référence aux problèmes qui se manifestent dans ces zones en des termes holistiques. Ces références doivent être considérées comme des informations générales qui doivent être adaptées à chaque cas particulier.

Du point de vue holistique, la maladie et ses manifestations ne sont que l'expression de l'état du patient. Ainsi, les douleurs lombaires peuvent être le signe que le patient est écrasé par un fardeau (il porte sa croix). Une autre personne pourra chercher dans la maladie l'amour et l'attention dont elle a besoin. Dans un tel cas, la maladie est un refuge où le patient peut trouver ce que la vie lui refuse. Ce genre de maladie est le plus souvent un appel de détresse caché et inconscient. Les problèmes émotionnels trouvent leur expression dans le corps, par la tenue, le timbre de la voix ou le rythme de la respiration.

Le thérapeute tiendra compte de tous ces indices afin de découvrir le meilleur moyen de venir en aide à son patient. Les personnes en parfaite santé n'existent que dans les manuels scolaires. Dans la réalité, la maladie fait partie de la santé tout comme la mort fait partie de la vie. La maladie n'est qu'un aspect de notre condition humaine imparfaite. Il est donc important que le patient entretienne une relation honnête et positive avec son corps, qu'il soit malade ou en santé.

Les zones du système squelletto-musculaire

L'épine dorsale (*columna vertebralis, spina dorsalis*)

L'épine dorsale forme la structure du dos, le support le plus important de toute l'ossature, qui porte le poids du tronc. Le canal rachidien qui se trouve au centre de l'épine dorsale contient la moelle épinière, axe principal du système nerveux. Vue de côté, l'épine dorsale présente la forme d'un double « S » et elle est composée de 34 ou 35 vertèbres :

> 7 vertèbres cervicales,
> 12 vertèbres thoraciques,
> 5 vertèbres lombaires,
> 5 vertèbres sacrées, et
> 4 ou 5 vertèbres coccygiennes.

L'épine dorsale est un pivot important du corps humain ; elle supporte en même temps l'axe des épaules, l'axe du bassin et le crâne. Chez l'adulte, l'épine dorsale mesure en moyenne 75 cm (30 pouces) de longueur.

De minuscules joints relient les vertèbres les unes aux autres. Afin de supporter un poids de plus en plus important, la taille des vertèbres augmente à mesure qu'on descend le long de l'épine dorsale.

Une *scoliose* est une déviation transversale de l'épine dorsale. Elle indique très souvent une malformation ou une maladie de l'épine dorsale. Toutes les vertèbres ont la même forme de base, à l'exception des deux premières vertèbres cervicales : l'atlas et l'axis.

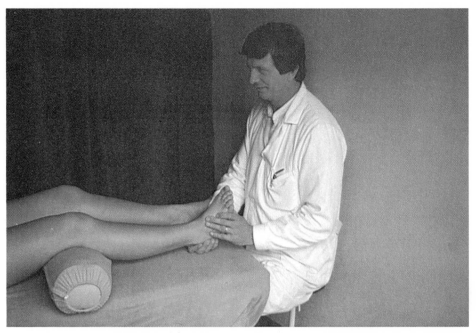

Le patient doit être confortable et détendu.

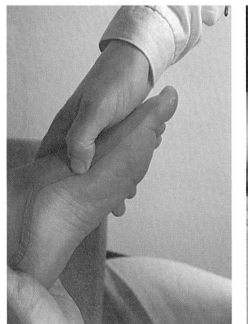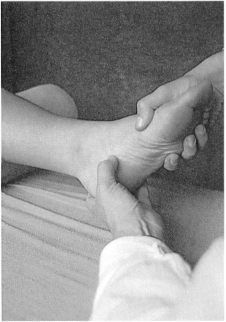

Massage des zones réflexogènes de l'épine dorsale.

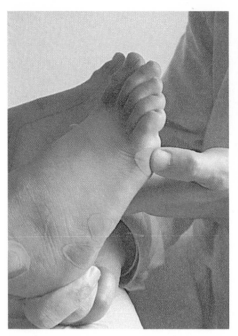
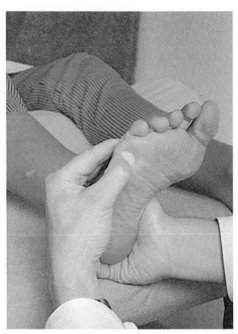

Massage des zones correspondant aux articulations des épaules.

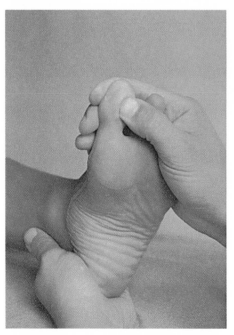
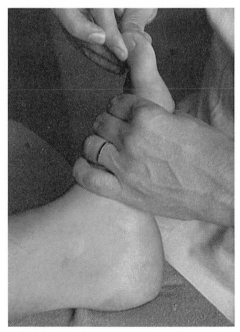

Massage d'une zone de la tête
(hypophyse).

Manipulation du gros orteil
pour détendre la région du cou.

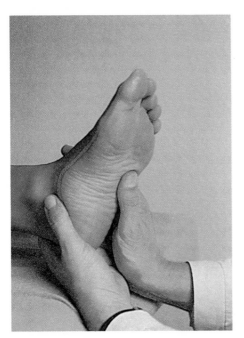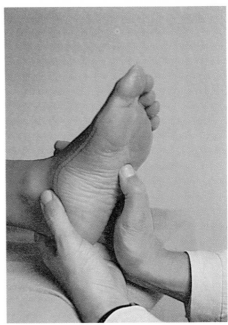

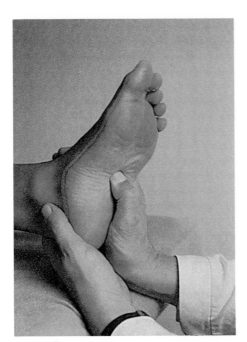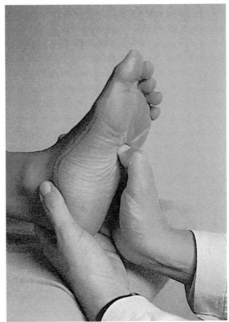

Étapes successives d'un massage rythmique utilisant une
pression variable du pouce.

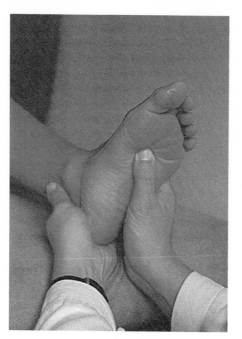
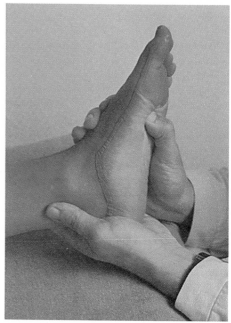

Exercice de relaxation (plexus solaire).

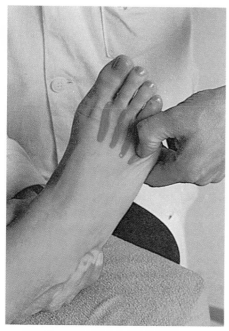
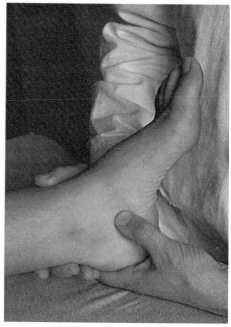

Stimulation des bronches.

Lubrification de l'articulation
de la hanche.

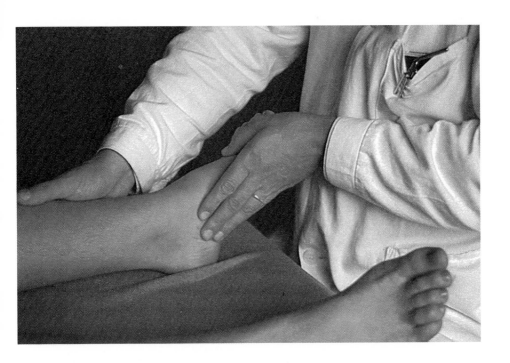

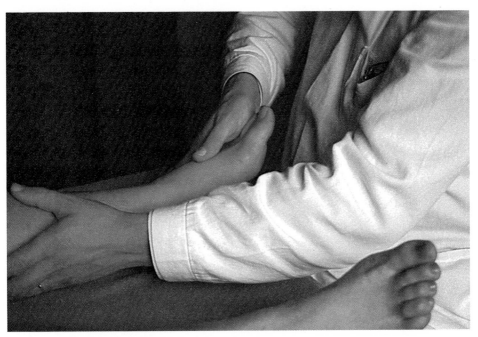

Au cours du massage, faire des frictions de détente, vers le haut de la jambe sur la face interne, et vers le bas de la jambe sur la face externe.

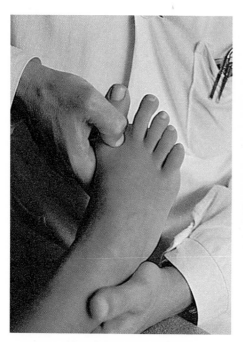
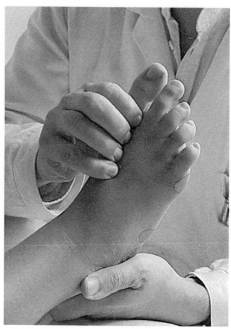

Position des mains pour le traitement des bronches.

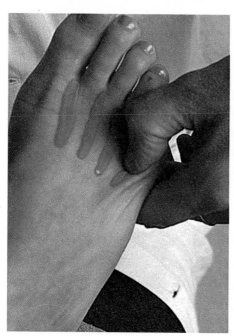

Massage de la zone
des amygdales.

Massage à quatre doigts
en direction des orteils pour
dégager les vaisseaux lymphatiques.

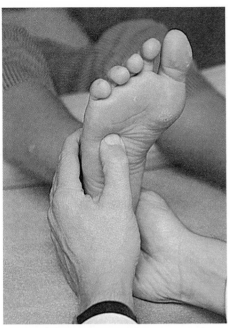

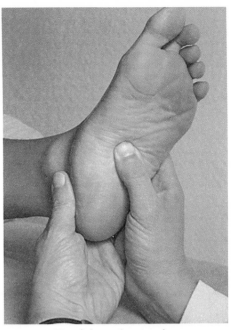

Position des mains pour le
traitement de la vésicule biliaire.

Position des mains
pour le traitement des reins.

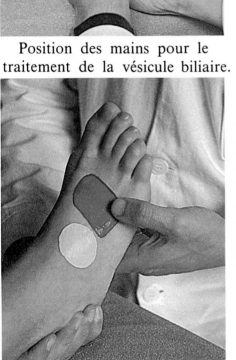

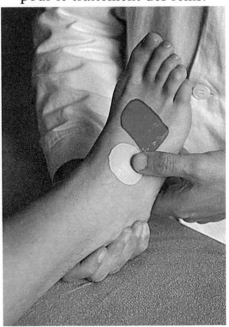

Position des mains pour
le traitement des poumons
à partir du dessus du pied.

Position des mains pour
le traitement des muscles
de l'estomac.

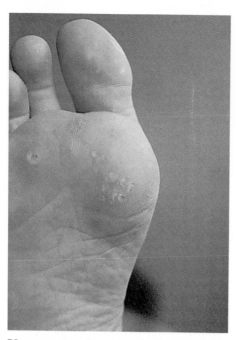

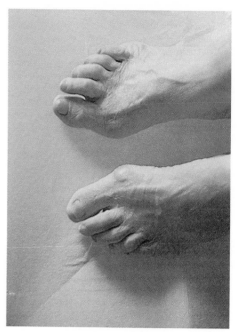

Verrues sur la zone de la thyroïde.

Hallux valgus

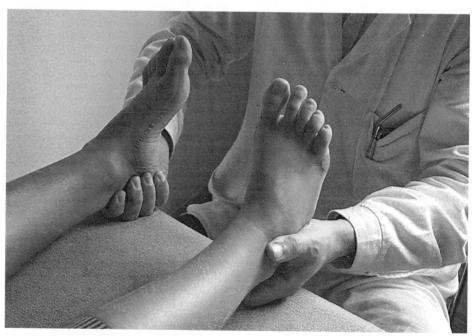

Position des mains autour des talons pour relâcher la tension au niveau du bassin et du système respiratoire.

Partie de l'épine dorsale	Nombre de vertèbres	Forme	Nom de la courbure
Cou	7	courbées vers l'arrière	lordose cervicale
Poitrine	12	courbées vers l'avant	cyphose thoracique
Reins	5	courbées vers l'arrière	lordose lombaire
Sacrum *	5	courbées vers l'avant	cyphose sacrée et coccygienne
Coccyx	les 4 vertèbres du coccyx se fusionnent ensemble entre l'âge de 20 et 30 ans		

* Les 5 vertèbres sacrées sont soudées entre elles. Chez l'homme, le sacrum est un peu plus long et plus incurvé que chez la femme.

Le mouvement de chaque vertèbre est facilité par la présence des *disques intervertébraux* qui amortissent les chocs entre chacune d'elles. Ces disques peuvent être comprimés sous le poids et reprendre ensuite leur forme initiale. Les disques intervertébraux sont continuellement comprimés ou étirés par les mouvements de l'épine dorsale.

Les déviations transversales de l'épine dorsale peuvent entraîner une déformation de la cage thoracique et, conséquemment, le déplacement des organes qu'elle abrite (cœur et poumons).

L'épine dorsale

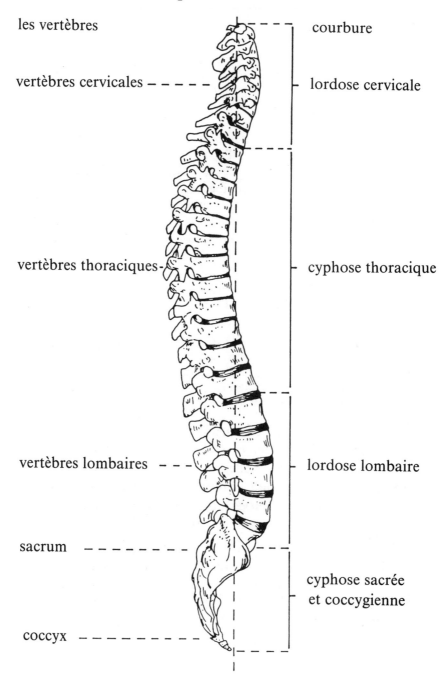

les vertèbres

vertèbres cervicales – – – –

vertèbres thoraciques–

vertèbres lombaires – – –

sacrum – – – – – –

coccyx – – – – – –

courbure

lordose cervicale

cyphose thoracique

lordose lombaire

cyphose sacrée
et coccygienne

Les zones réflexogènes de l'épine dorsale

face interne du pied droit

Les zones réflexogènes
de l'épine dorsale sont les mêmes
sur les deux pieds.

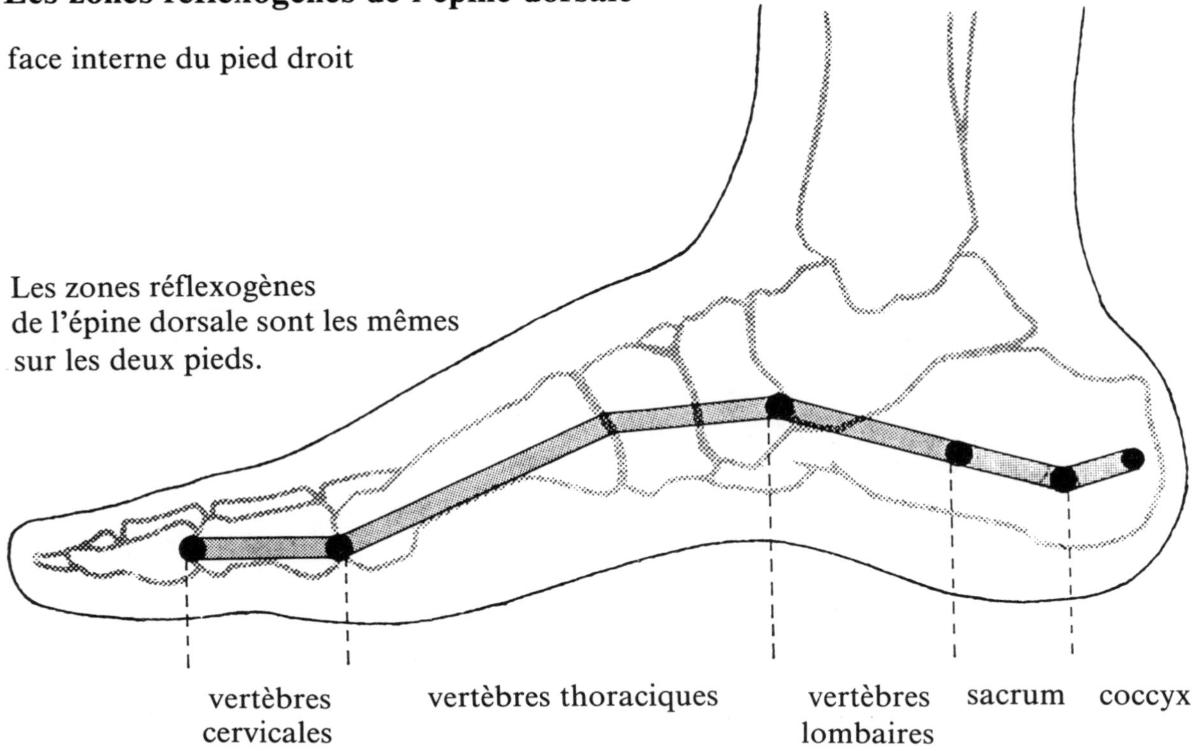

coccyx

sacrum

vertèbres
lombaires

vertèbres thoraciques

vertèbres
cervicales

L'épine dorsale et ses disques intervertébraux sont soumis à une usure normale. S'ils doivent subir de trop grands efforts, il se formera des excroissances osseuses sur la bordure des vertèbres qui nuiront à leur mobilité. Il en résultera un coincement des nerfs qui passent dans l'épine dorsale, des douleurs lombaires chroniques et une limitation importante de la flexibilité du dos. Les patients souffrant de tels maux (spondylose, spondylarthrose) peuvent grandement profiter de l'hydrothérapie, des traitements avec des lampes solaires et de la réflexothérapie.

Les zones réflexogènes de l'épine dorsale se trouvent le long de la bordure interne des deux pieds.

Zone visée	Emplacement sur le pied
vertèbres cervicales	segment médian de la phalange proximale de chaque gros orteil
vertèbres thoraciques	premier métatarse
vertèbres lombaires	du premier cunéiforme au centre du scaphoïde
sacrum	de l'extrémité proximale du scaphoïde jusqu'au calcanéum en passant par l'astragale
coccyx	extrémité du calcanéum

On masse ces zones en appliquant une pression sur les muscles du pied qui correspondent à la région visée. Le massage du *périoste* est particulièrement important lorsqu'on traite un problème du système nerveux et un tel travail devrait être laissé à un expert.

Le massage des zones réflexogènes de l'épine dorsale constitue une partie importante de tout traitement, car il permet de détendre le patient. On le pratique généralement au début d'une séance de réflexothérapie.

Dans la zone réflexogène du cou (articulation de la phalange du gros orteil et du premier métatarse), on découvre fréquemment une déformation appelée *hallux valgus* (voir planches en couleurs), où le gros orteil est tourné vers les autres orteils du même pied. Cela indique souvent un problème au niveau du cou. Cependant, comme chaque zone influence l'autre, il est difficile de déterminer lequel des problèmes a entraîné l'autre. La plupart des patients qui souffrent de douleurs au cou présentent un ou plusieurs des symptômes suivants :

1. Un déplacement des vertèbres cervicales.
2. Une tension au niveau du cou et des épaules.
3. Des problèmes thyroïdiens.

On peut soulager la douleur et relâcher les tensions par un massage de détente sur toutes les zones réflexogènes de l'épine dorsale. La pression est exercée avec la face interne du bout du pouce pendant une période d'environ 30 secondes à la fois.

Les articulations et les muscles

Par sa mobilité, l'homme peut réagir à son environnement. Si ses mouvements sont limités, il aura plus de mal à modifier ce qui l'entoure.

Les os et les articulations forment la structure passive du système moteur, tandis que les muscles en sont la structure active. Ce sont eux qui commandent les articulations et mettent le corps en mouvement. Le travail des muscles est coordonné par le système nerveux.

La musculature détermine également la forme générale du corps. Lorsqu'on traite le système moteur, l'un des principaux objectifs est de détendre les muscles afin de rendre le corps plus mobile, de restaurer les mouvements spontanés du patient et de lui redonner une sensation de plus grande vigueur. Les exercices peuvent grandement contribuer à améliorer la mobilité et l'état de santé général d'un patient.

En réflexothérapie, les régions suivantes ont une très grande importance :

1. Axe du cou et des épaules.
2. Articulations des épaules.
3. Bras et coudes.
4. Cage thoracique.
5. Abdomen et bassin.
6. Articulations des hanches et symphise pubienne.
7. Muscles des fesses.
8. Muscles des cuisses.

Le massage des zones réflexogènes de l'axe des épaules (le long d'une ligne qui traverse les cinq zones du pied) est particulièrement efficace dans le traitement des maladies psychosomatiques. La tension musculaire au niveau du cou et des épaules est un signe que le patient doit porter un *lourd fardeau*. Pour traiter les tensions nerveuse et musculaire, le massage doit se faire sur le dessus du pied.

Les zones correspondant aux articulations des épaules peuvent être senties à la base des orteils. Le corps étant subdivisé en zones, la zone correspondant à la partie supérieure du bras jusqu'au coude est la même que celle qui correspond à la bordure de la cage thoracique qui la longe.

La zone correspondant aux muscles de la cage thoracique s'étend au-dessus des métatarsiens sur toute la largeur du pied.

Les muscles sont reliés aux nerfs par des plaques motrices qui reçoivent continuellement des influx nerveux, que les muscles soient au repos ou en action. Grâce à cet influx constant, le muscle est toujours prêt à réagir ; c'est ce qu'on appelle le tonus. Le tonus musculaire varie d'un individu à l'autre et d'un groupe de muscles à un autre. Il peut être amoindri ou accru par certains problèmes du système nerveux. La réflexothérapie peut grandement améliorer le tonus musculaire.

Les zones réflexogènes des muscles

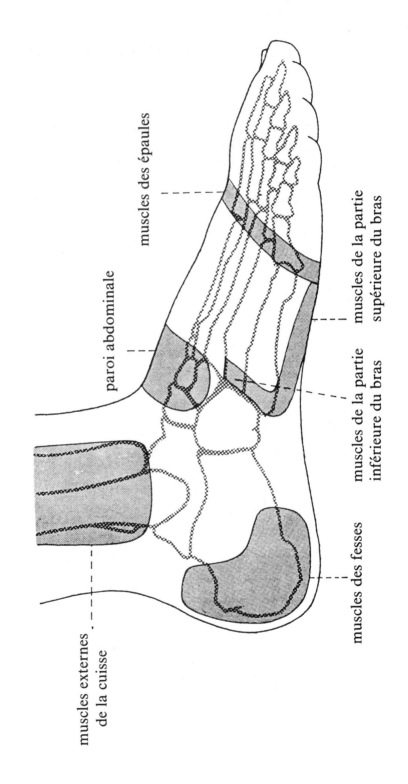

muscles des épaules

paroi abdominale

muscles de la partie
supérieure du bras

muscles de la partie
inférieure du bras

muscles des fesses

muscles externes
de la cuisse

Les zones réflexogènes des articulations

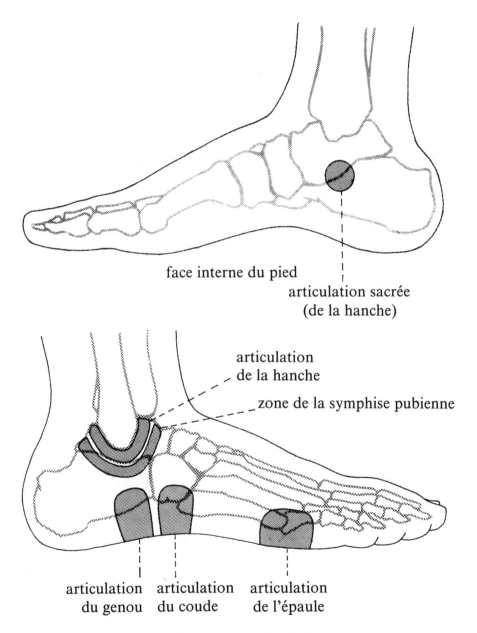

face interne du pied

articulation sacrée
(de la hanche)

articulation
de la hanche

zone de la symphise pubienne

articulation
du genou

articulation
du coude

articulation
de l'épaule

face externe du pied

Les zones réflexogènes des muscles

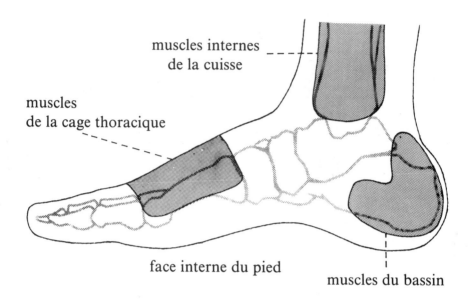

muscles internes
de la cuisse

muscles
de la cage thoracique

face interne du pied

muscles du bassin

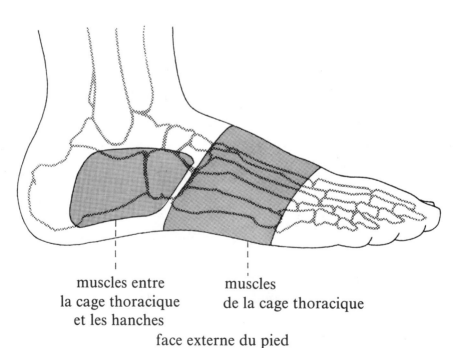

muscles entre
la cage thoracique
et les hanches

muscles
de la cage thoracique

face externe du pied

Les zones réflexogènes des muscles

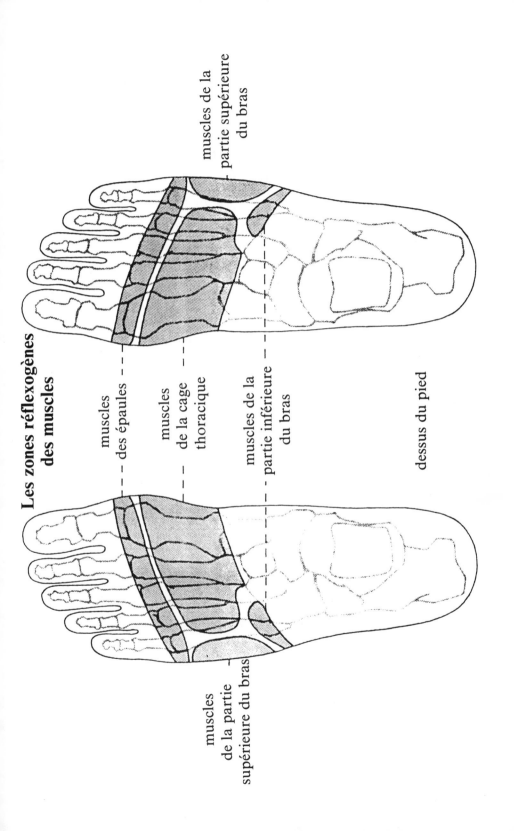

muscles de la partie supérieure du bras

muscles des épaules

muscles de la cage thoracique

muscles de la partie inférieure du bras

muscles de la partie supérieure du bras

dessus du pied

Ce que les problèmes squeletto-musculaires révèlent au sujet du patient

Lorsqu'on dit de quelqu'un qu'il en « a beaucoup sur le dos », qu'il porte « un lourd fardeau sur les épaules » ou qu'il a « un carcan autour du cou », on réfère à des pressions psychologiques constantes qui peuvent finir par se manifester au niveau physique dans les régions précises désignées par ces expressions. Cela fait ressortir toute l'importance de ne pas se limiter aux seuls symptômes physiques, mais d'explorer aussi les facteurs émotionnels ou psychologiques.

Si les muscles d'une personne sont tendus lorsqu'elle est au repos, il faut en conclure qu'elle refoule des émotions ou des impulsions agressives. L'organisme tente de se débarrasser de ces impulsions en augmentant l'activité musculaire.

Même si cette activité musculaire protège le patient contre ce qu'il craint, elle finira avec le temps par avoir des conséquences dommageables.

Les zones de la tête

Le crâne contient le cerveau, les organes sensoriels et l'extrémité supérieure des voies digestives et respiratoires.

Les zones réflexogènes de la tête ont ceci de particulier qu'elles se retrouvent sur les dix orteils. Elles sont aussi reproduites en miniature sur chacun des deux gros orteils.

Les tensions au niveau du cou et de la tête peuvent être soulagées en bougeant les articulations du gros orteil. Par

Les zones réflexogènes de la tête

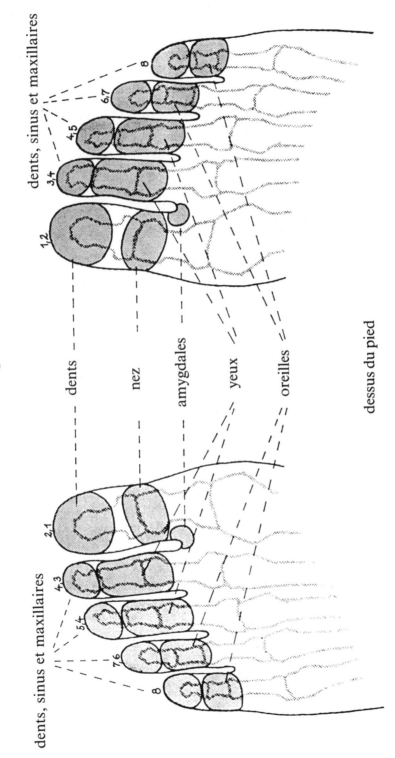

dents, sinus et maxillaires

dents

nez

amygdales

yeux

oreilles

dessus du pied

dents, sinus et maxillaires

Les zones réflexogènes de la tête

cerveau

lobe temporal

mastoïde

cou

dessous du pied

Les zones réflexogènes de la tête

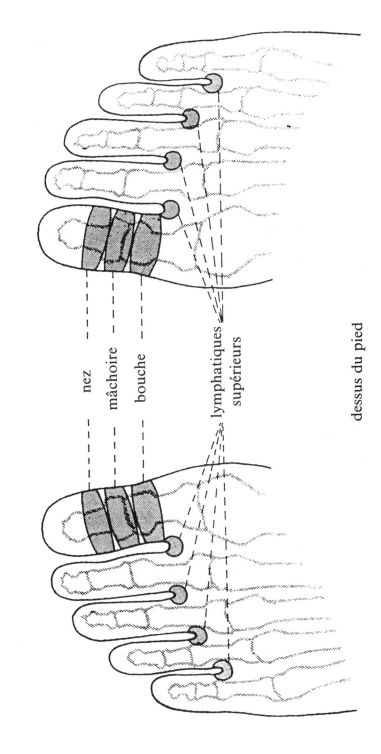

nez

mâchoire

bouche

lymphatiques
supérieurs

dessus du pied

exemple, une rotation du gros orteil autour de son articulation correspond à une rotation de la tête autour du cou.

On a découvert que la myopie pouvait être traitée en massant le deuxième orteil et la presbytie, en massant le troisième orteil. Le quatrième orteil représente l'oreille interne et le cinquième, l'oreille externe. Pour traiter les yeux, les oreilles et les dents, il est préférable de faire les massages sur le dessous et sur les côtés des orteils. Pour traiter la tête en général, les massages se feront de toutes parts.

Zone visée	Emplacement sur le pied
arrière de la tête	dessous de la pulpe du gros orteil
visage	dessus du gros orteil
base du crâne	creux à la base du gros orteil
yeux	deuxième et troisième orteils
oreilles	quatrième et cinquième orteils
nez et gorge	dessus du gros orteil
lymphatiques supérieurs	membrane entre les orteils

Les zones réflexogènes de la tête

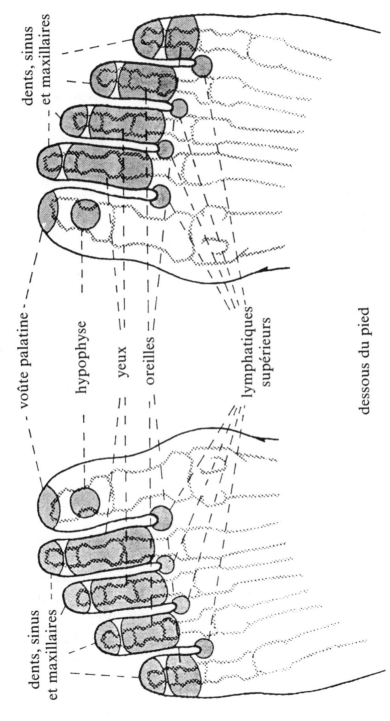

dents, sinus et maxillaires

voûte palatine

hypophyse

yeux

oreilles

lymphatiques supérieurs

dents, sinus et maxillaires

dents, sinus et maxillaires

dessous du pied

Si le patient présente les symptômes du pied d'athlète entre les orteils, ces zones ne pourront être traitées. On massera plutôt les zones réflexogènes correspondantes des mains, c'est-à-dire la membrane interdigitale.

Le tableau suivant indique l'emplacement des zones réflexogènes des dents :

Dents	Zone longitudinale	Zone réflexogène
incisives (1)	1	gros orteil
incisives et canines (2 et 3)	2	deuxième orteil
prémolaires (4 et 5)	3	3e orteil
molaires (6 et 7)	4	4e orteil
dents de sagesse (8)	5	5e orteil

Ce que les problèmes de la tête révèlent au sujet du patient

Dans la tête se trouvent les organes sensoriels qui nous permettent d'être en contact avec le monde. Non seulement ces organes reçoivent-ils des informations du monde extérieur, ils en transmettent tout autant. Nos yeux révèlent nos sentiments à notre entourage. Ils sont le miroir de l'âme, du caractère, de la personnalité.

La myopie et la presbytie sont les problèmes de la vue les plus courants. La myopie est un problème de jeunesse qu'on peut relier à l'égocentrisme. La presbytie vient avec l'âge et est un synonyme d'objectivité et de meilleure vue d'ensemble.

Les problèmes de la vue ne signifient pas uniquement que le patient ne peut pas voir certaines choses ; très souvent, ils indiquent ce que le patient refuse de voir. Même si on peut fermer les yeux, les oreilles restent toujours ouvertes. Elles représentent notre ouverture passive au monde. On dit qu'on est *tout oreille* pour signifier que l'on est réceptif. L'oreille est souvent qualifiée d'impartiale. Entendre et écouter sont des actions reliées de très près, même si la première est passive et la seconde, active. Les personnes âgées qui sont sévères et rigides souffrent très souvent de problèmes de l'ouie.

Il existe de nombreuses expressions populaires se rapportant à la tête : *se frapper la tête contre un mur, perdre la tête, garder la tête froide, avoir la tête sur les épaules*, etc. Chacune de ces expressions a sa signification propre et, si on les prenait plus souvent au sérieux, on en apprendrait beaucoup sur certains problèmes de la tête.

La tête ne fait qu'un avec le processus de la pensée. Très souvent, les maux de tête sont causés par des pensées confuses ou conflictuelles. Dans les cas de migraines, il faut tenir compte des liens qui existent entre la tête et le reste du corps. Dans leur livre *Krankheit als Weg (Les Voies de la maladie)*, Dethlefsen et Dahlke affirment que la migraine est une manifestation de la sexualité. Le conflit se manifeste alors à un niveau plus élevé. Il s'agit d'un conflit entre le haut et le bas, entre la tête et les organes génitaux, qui se déroule au niveau de la tête. Pour résoudre le conflit, il doit être traité là où il prend ses origines. Dans les cas de migraines et de maux de tête, il faut toujours considérer l'équilibre entre le haut et le bas, entre la pensée et l'action.

Les zones du système respiratoire

Tout comme le système digestif, le système respiratoire commence au niveau du visage. Ses zones réflexogènes correspondantes sur le pied commenceront donc avec celles du nez et de la bouche, qui se trouvent sur le gros orteil.

Le tableau suivant indique l'emplacement des zones réflexogènes du système respiratoire :

Zone visée	Emplacement sur le pied
narines et bouche	dessus du gros orteil
bronches	de l'articulation à la base de l'orteil jusqu'entre le premier et le deuxième métatarsiens
poumons	bande couvrant les métatarsiens
diaphragme	à l'avant de la voûte plantaire

Le diaphragme sépare le système respiratoire du système digestif. Le plexus solaire supporte le choc des conflits entre le haut et le bas du corps. Chez la plupart des gens, une des deux moitiés du corps domine l'autre. Le massage de la zone réflexogène du diaphragme peut largement contribuer à rétablir l'équilibre entre les deux. Le diaphragme est le muscle le plus important pour la respiration. Il se trouve entre la cavité pectorale et l'abdomen. Lorsque le diaphragme se contracte, il augmente le volume de la cavité pectorale et aspire l'air dans les poumons. Lorsqu'il se détend, le diaphragme repousse l'air hors des poumons.

Même si le diaphragme s'étend sur toute la largeur du tronc, il correspond à une seule petite zone réflexogène sur le pied. Celle-ci se trouve immédiatement à l'avant de la voûte plantaire, dans les zones longitudinales 2 et 3. Il s'agit également de la zone réflexogène du plexus solaire.

Le traitement du plexus solaire est très important en réflexologie. Il permet de relâcher le stress et la nervosité, de favoriser une respiration profonde et régulière, et de rétablir le calme chez le patient. Le massage de cette zone détendra le patient et le rendra plus réceptif à d'autres simuli thérapeutiques. Le massage se révèle encore plus efficace lorsqu'il suit le rythme respiratoire du patient. Il permet alors de soulager considérablement la douleur.

Respiration	Stimulation thérapeutique
inspiration	appuyer légèrement sur la zone réflexogène du diaphragme en tirant sur les talons (voir la dernière planche en couleurs)
expiration	relâcher la pression

Ce mouvement doit être répété 15 à 20 fois sur chaque pied. En plus de présenter les avantages décrits ci-dessus, ce massage permet aussi de traiter les problèmes respiratoires.

Ce que les problèmes respiratoires révèlent au sujet du patient

La respiration, c'est la vie. Toute créature qui respire est vivante. La respiration est une relation directe entre le moi et le monde. Si l'on dit de quelqu'un qu'il a *perdu le souffle* ou qu'il *retient son souffle*, cela signifie que sa relation au monde a été dérangée. La respiration est un échange dans lequel le corps donne et reçoit, se contracte et se détend. Nous devrions pouvoir nous ouvrir afin que notre respiration envahisse tout notre organisme. Nous ne pouvons nous détourner de la respiration, car c'est elle qui nous apporte la vie.

Par l'air que nous respirons, nous sommes en contact direct avec tout ce qui nous entoure. La première respiration d'un nouveau-né marque son accession à l'indépendance et à la liberté. Les problèmes respiratoires sont très souvent le signe d'une crainte de l'indépendance et de l'autonomie. On ne respire bien que lorsqu'on se sent libre. Quiconque a des problèmes respiratoires devrait chercher ce qui l'empêche de donner et de recevoir dans sa relation avec le monde.

L'asthme est un problème respiratoire très courant. Le problème de l'asthmatique est de vouloir trop recevoir. Il inspire trop d'air, ne veut pas le laisser s'échapper et doit alors faire des efforts pour inspirer encore plus d'air. Chez l'asthmatique, il n'y a pas d'équilibre entre donner et recevoir. Il ne peut reprendre son souffle parce qu'il garde l'air qui est déjà dans ses poumons. C'est très souvent une personne dominatrice ayant une attitude hostile face à la vie. Il est toujours prêt à contredire ceux qui l'entourent et il est à couteaux tirés avec la vie. Il est toutefois incapable d'exprimer son agressivité, car il est paralysé par le manque d'air. Cette réaction de son organisme l'empêche de se libérer, d'exprimer ses sentiments et d'enfin pouvoir respirer librement.

Les zones du système digestif

Les organes du système digestif nourrissent le corps, lui permettent de croître, de maintenir sa température et ses activités.

Les zones réflexogènes du système respiratoire

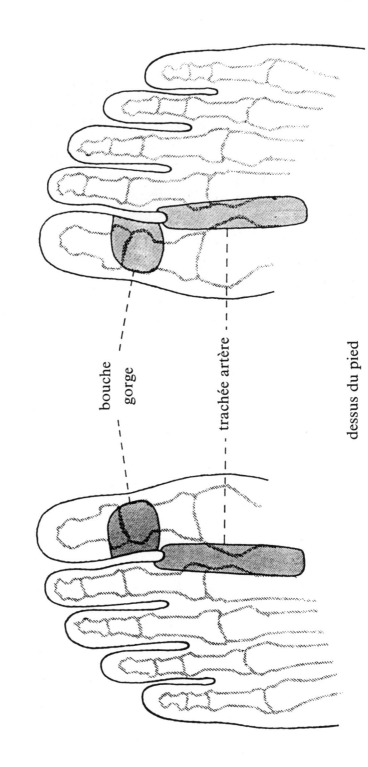

bouche
gorge

trachée artère

dessus du pied

Les zones réflexogènes du système respiratoire

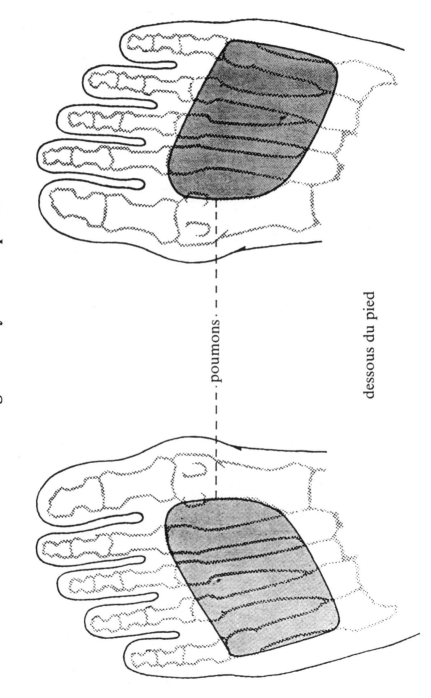

poumons

dessous du pied

Les zones réflexogènes du système respiratoire

bronches

vue de dessus

Les zones réflexogènes du système respiratoire

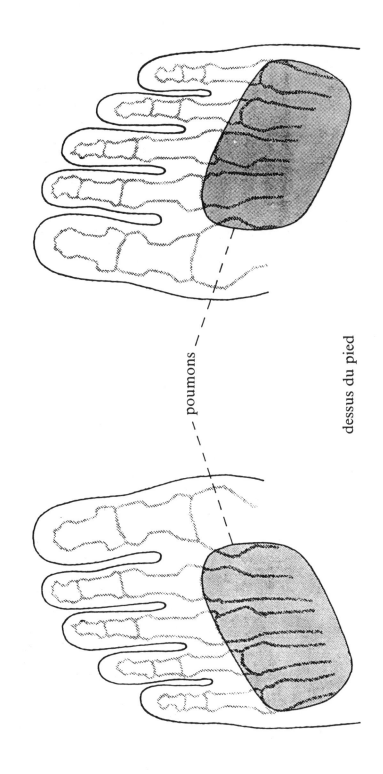

poumons

dessus du pied

Les zones réflexogènes du système respiratoire

poumons et cage thoracique

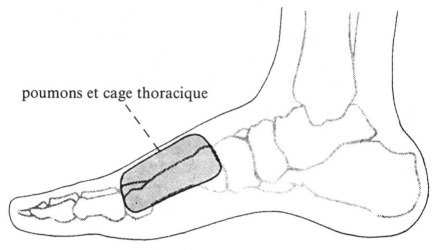

face interne du pied

poumons et cage thoracique

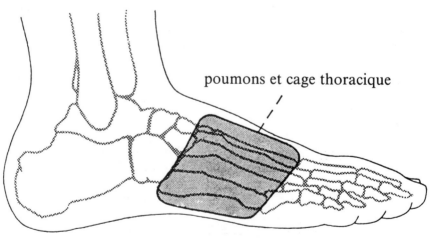

face externe du pied

Les zones réflexogènes du système respiratoire

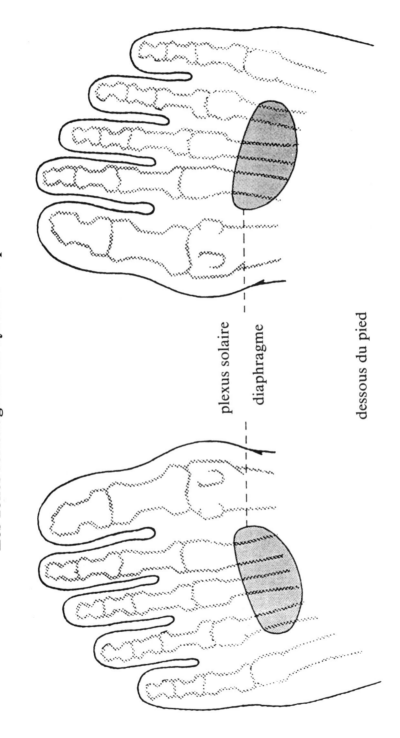

plexus solaire

diaphragme

dessous du pied

On peut diviser le système digestif comme suit :
— bouche et dents
— gorge (pharynx)
— œsophage
— estomac
— pancréas
— foie
— vésicule biliaire
— intestin grêle
— côlon
— rectum
— anus

La gorge (pharynx)

C'est dans la gorge que se réunissent les systèmes respiratoire et digestif.

L'œsophage

L'œsophage relie la bouche à l'estomac. C'est un tube d'environ 25 cm (10 pouces) de longueur qui passe entre les bronches et l'épine dorsale.

L'estomac

L'estomac est situé du côté gauche de la partie supérieure de l'abdomen, entre le foie et la rate. À l'arrière se trouve le pancréas, qui est un prolongement du système digestif. Le *péristaltisme* (onde de contraction du système digestif) est contrôlé automatiquement par les nerfs qui se trouvent dans la paroi de l'estomac. Selon leur nature et leur digestibilité, les aliments séjournent dans l'estomac entre une et cinq heures.

Le pancréas

Cet organe qui se trouve derrière l'estomac est responsable de la production de sucs digestifs. Il peut en produire entre 0,5 et 1,5 litre par jour. Ces sucs contiennent des enzymes capables de décomposer les graisses, les protéines et les hydrates de carbone. Le pancréas peut être sujet à des inflammations (par exemple, à la suite d'un repas trop copieux) accompagnées d'un gonflement. Après l'ablation du pancréas, il faut compenser ses fonctions par des injections d'insuline ou des tablettes d'enzymes afin de maintenir le taux de sucre dans le sang et de faciliter la digestion.

Le foie

Le foie se trouve du côté droit de la partie supérieure de l'abdomen, même s'il s'étend assez loin vers la gauche. Relié à l'intestin, le foie a des fonctions métaboliques très importantes qui ont des effets sur le système circulatoire. Le foie est responsable des fonctions suivantes :

1. Sécrétion de bile.
2. Circulation de la bilirubine (la jaunisse résulte d'une détérioration de cette fonction).
3. Transformation des hydrates de carbone et des autres aliments en glycogène ; production d'urée et détoxication.

4. Production des protéines du sang et des substances nécessaires à la coagulation.

5. Emmagasinage des vitamines et minéraux

L'intestin grêle

L'intestin grêle mesure environ 6 mètres (20 pieds) de longueur et constitue l'une des plus importantes parties du système digestif. C'est à cet endroit que les aliments sont décomposés en éléments simples pour être absorbés par *l'épithélium*, la paroi de l'intestin. L'intestin grêle se compose du duodénum, du jéjunum et de l'iléon. Les mouvements de l'intestin sont autonomes, c'est-à-dire contrôlés par les nerfs de sa musculature. Le péristaltisme pousse le contenu de l'intestin grêle jusqu'au côlon. Là où l'intestin grêle rejoint le côlon, deux replis jouent le rôle d'un clapet pour empêcher les matières de rebrousser chemin.

Le côlon

Le côlon entoure l'intestin grêle un peu comme un cadre entoure un tableau. Il se compose du cœcum, du côlon ascendant, du côlon transverse, du côlon descendant et du côlon ilio-pelvien. Le processus digestif se poursuit dans le côlon pour se terminer dans l'anus, un orifice contrôlé par deux muscles. Les membranes muqueuses du canal anal sont alimentées par de nombreux vaisseaux sanguins. Des hémorroïdes se forment lorsque ces vaisseaux deviennent trop gonflés.

Ce que les problèmes digestifs révèlent au sujet du patient

Rappelons-nous les différentes expressions se rapportant au système digestif : *j'ai un mauvais goût dans la bouche, c'est dur à avaler, je ne peux pas le digérer, cela me fait mal au cœur, j'ai des papillons dans l'estomac* ou enfin *le chemin du cœur passe par l'estomac.*

Tout comme le système respiratoire, le système digestif reçoit des substances du monde extérieur. Ces substances doivent subir une transformation. Le travail commence par les dents, qui ont toujours été un symbole de force et de vitalité. Après avoir mastiqué, il faut avaler. Quiconque a du mal à avaler devrait se demander s'il n'y a pas quelque chose dans sa vie qu'il ne peut pas ou ne veut pas avaler. Les aliments passent ensuite à l'estomac pour y être digérés.

Les zones réflexogènes du système digestif

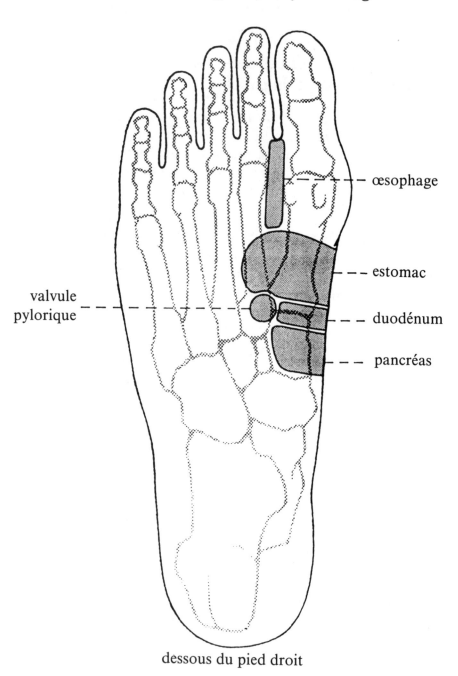

œsophage

estomac

valvule
pylorique

duodénum

pancréas

dessous du pied droit

Les zones réflexogènes du système digestif

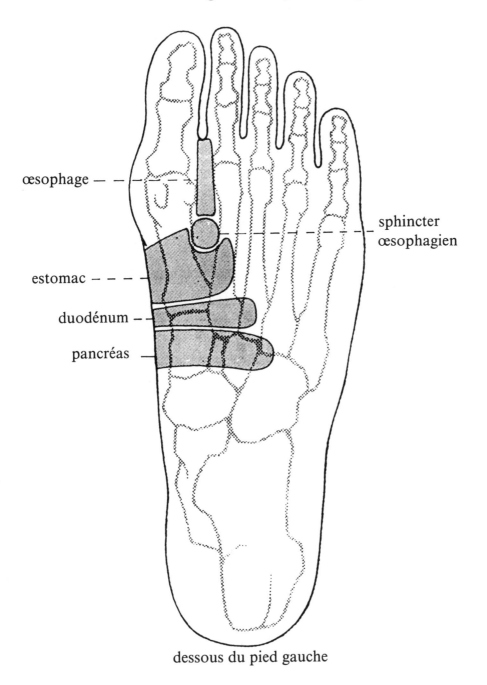

œsophage

sphincter
œsophagien

estomac

duodénum

pancréas

dessous du pied gauche

Les zones réflexogènes du système digestif

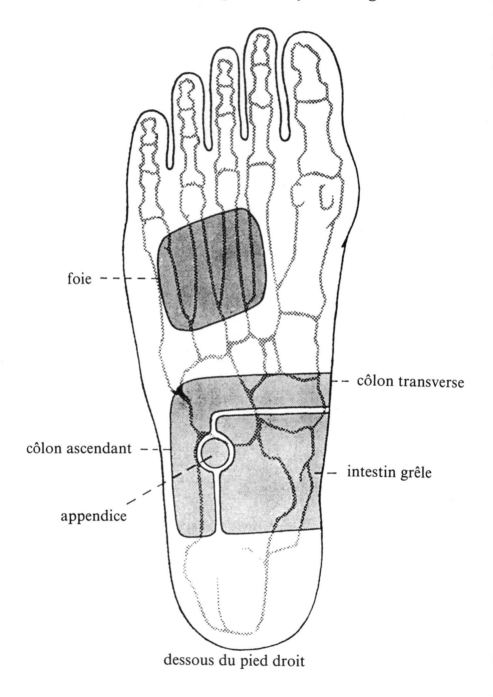

foie

côlon transverse

côlon ascendant

intestin grêle

appendice

dessous du pied droit

Les zones réflexogènes du système digestif

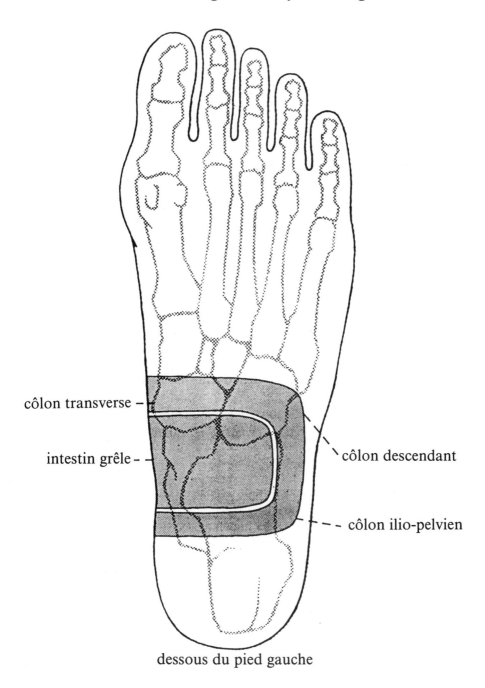

côlon transverse –

intestin grêle –

côlon descendant

côlon ilio-pelvien

dessous du pied gauche

Zone visée	Emplacement sur le pied
bouche	dessus du gros orteil
gorge, œsophage	de la base du gros orteil jusqu'entre le premier et le deuxième métatarsiens
estomac	à la base du premier métatarsien sur la plante du pied
cardia	sur le pied gauche
pylore	sur le pied droit
intestin grêle	de la ligne articulaire de Lisfrank en descendant
côlon	autour de la zone de l'intestin grêle (voir pages 132 et 133)
région anale	calcanéum et astragale sur le dessous des deux pieds
pancréas	même zone que l'estomac
foie	sur la plante du pied droit, au niveau des métatarsiens, dans les zones longitudinales 2 à 5
vésicule biliaire	sur le dessus du pied droit, dans les zones longitudinales 3 et 4
cœcum et appendice	sur le dessus du pied droit, à environ 1,5 cm (1/2 po.) sous la base des métatarsiens, dans la zone longitudinale 5

L'estomac doit être ouvert et prêt à accepter les aliments. Il s'agit de sa fonction passive.

La fonction active de l'estomac est la production de sucs gastriques. Si quelqu'un est incapable d'exprimer son agressivité, il ravalera sa colère et cela activera la production de sucs acides dans l'estomac. Si l'agressivité normale est constamment refoulée, l'acidité gastrique finira par entraîner des ulcères. Un ulcère d'estomac indique que l'estomac a littéralement commencé à se digérer lui-même, ce qu'on exprime lorsqu'on dit de quelqu'un qu'il est rongé par la colère. Le patient doit alors se demander : « Qu'est-ce qui m'aigrit ? Qu'est-ce qui me rend acide ? Qu'est-ce qui me ronge ? » En répondant à ces questions, il découvrira son conflit intérieur.

On compare souvent l'intestin grêle au cerveau, et pas uniquement à cause de leur apparence similaire. Le cerveau digère des idées, tandis que l'intestin digère des matières. La diarrhée est un signe d'anxiété, d'un sentiment de contrainte ou de restriction. La diarrhée symbolise l'anti-dote à toute restriction : un mouvement d'ouverture et de laisser-aller.

Le problème le plus fréquent au niveau du côlon est la constipation. La constipation est un symbole de fermeture et de claustration, qu'on associe avec l'attachement aux biens matériels. La psychanalyse interprète la constipation comme l'expression de la crainte de l'inconnu.

Le foie fournit de l'énergie et veille à l'élimination des poisons. Sa première fonction est donc de distinguer entre ce qui est toxique et ce qui ne l'est pas. Les problèmes

Les zones réflexogènes du système digestif

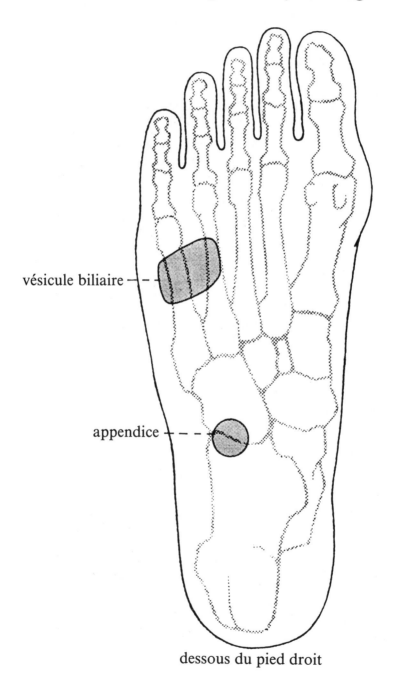

vésicule biliaire

appendice

dessous du pied droit

Les zones réflexogènes du système digestif

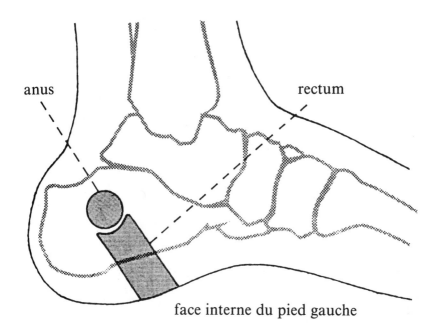

anus

rectum

face interne du pied gauche

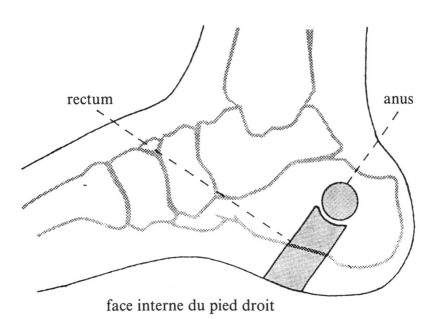

rectum

anus

face interne du pied droit

Les zones réflexogènes du système digestif

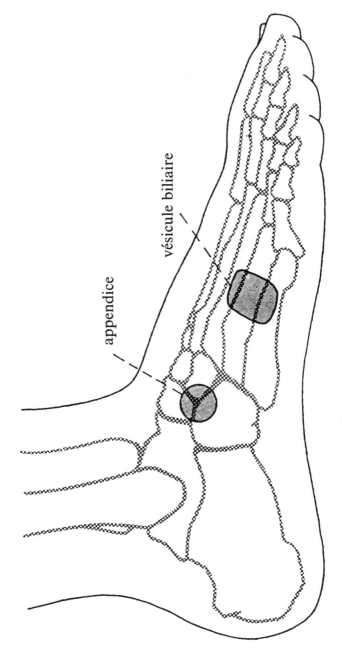

vésicule biliaire

appendice

face externe du pied droit

Les zones réflexogènes du système digestif

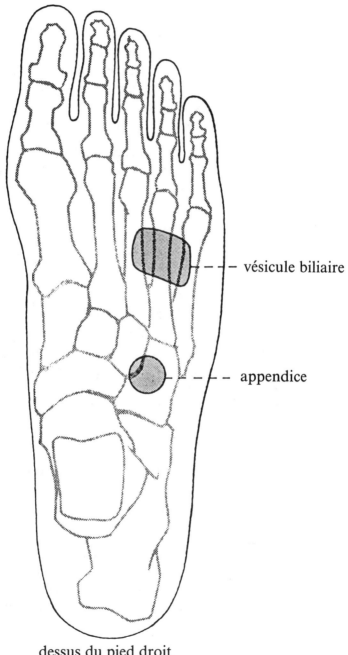

vésicule biliaire

appendice

dessus du pied droit

du foie sont parfois un signe que le patient a un mauvais jugement. Il peut, par exemple, mal évaluer ses propres limites. C'est ainsi que les maladies du foie sont souvent causées par des excès : trop de gras, trop d'alcool, etc. Le foie réagit à un manque de modération.

Les blocages permanents empêchent la circulation de l'énergie et finissent par se matérialiser sous forme de calculs rénaux ou biliaires. Ce sont des énergies refoulées qui se sont transformées en pierres.

Les zones du cœur

On utilise souvent les mots *au cœur* pour signifier au centre de quelque chose. En réalité, le cœur est au centre du corps humain. Il s'agit d'un organe musculaire creux dont le rôle est de pomper le sang dans le système circulatoire. Le sens de la circulation sanguine est déterminé par des valves. Une paroi sépare le cœur en deux parties. Le côté gauche assure la circulation dans l'ensemble du corps et le côté droit achemine le sang aux poumons. Chaque côté comporte un ventricule et une oreillette.

Le cœur a la taille approximative d'un poing fermé. Il bat en moyenne à un rythme de 70 pulsations à la minute (100 000 par jour) et pompe quotidiennement environ 7,5 litres (7 pintes) de sang.

Lorsqu'il s'agit de traiter les zones réflexogènes du cœur, le thérapeute doit plus que jamais se débarrasser de l'approche symptomatique pour considérer son patient comme une personne globale. Les maladies du cœur sont

Les zones réflexogènes du cœur

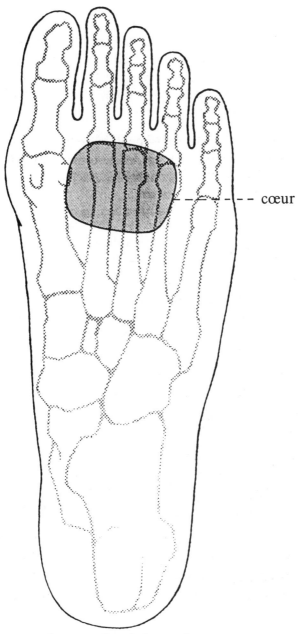

cœur

dessous du pied gauche

rarement causées par une déficience de l'organe lui-
même. La plupart du temps, elles sont reliées à des problèmes fonctionnels — physiques ou psychologiques —,
comme par exemple des problèmes de digestion ou de
respiration.

Lorsqu'on traite les zones réflexogènes du cœur, il
faut viser à réduire l'hyperexcitabilité et à stimuler la
flaccidité.

Le cœur et le sang sont des symboles de vie. La
tension artérielle est le résultat des rapports entre le flux
sanguin et ses limites. Pour équilibrer la tension artérielle
— trop haute ou trop basse —, il suffit de masser les deux
pieds vers les orteils dans les sillons des métatarsiens en
pinçant légèrement avec le pouce et l'index. Ce massage
peut aussi être fait sur les mains, du poignet à la base des
doigts. Chaque mouvement doit être répété entre 10 et 20
fois.

Ce que les maladies du cœur
révèlent au sujet du patient

Les personnes souffrant d'une tension artérielle trop
basse éviteront les situations qui exigent de trop grands
efforts ou une trop grande résistance. Les personnes
souffrant d'hypertension sont pour leur part continuellement sous pression. Lorsque la tension artérielle monte,
elle apporte de l'énergie afin de résoudre un conflit ou un
problème. L'hypertendu chronique évitera la solution du
conflit et l'énergie ne sera pas utilisée d'une manière
productive.

Les expressions populaires se rapportant au cœur décrivent une multitude d'émotions : *mon cœur déborde de joie, je prends cela à cœur, j'ai le cœur brisé.* Le cœur est un symbole d'amour, d'émotion et de pureté. Son rythme se modifie constamment selon les situations. Lorsque le rythme cardiaque change, c'est souvent le premier signe qu'il se passe quelque chose d'inhabituel. Il ne faut pas ignorer un tel signal. Les personnes souffrant de malaises cardiaques craignent la solitude. Si les solitaires ont souvent des troubles cardiaques, c'est sans doute un signe qu'ils ont besoin d'amour.

Les zones du système urinaire

Les reins sont deux organes incurvés de 10 à 12 cm (4 à 5 po.) de longueur dont les axes ne sont pas parallèles à l'épine dorsale. L'emplacement des reins change selon la posture du corps et la respiration.

Comme leur nom l'indique, les capsules surrénales sont des glandes situées sur le sommet des reins. Après les poumons, les reins sont les organes excréteurs les plus importants de l'organisme. Le rein droit est situé sous le foie et le rein gauche est à demi situé sous la rate.

En une seule journée, quelque 1500 litres (330 gallons) de sang passent par les reins. Au cours de la même période, ces organes filtrent l'équivalent de trois fois tous les liquides de l'organisme.

Zone visée	Emplacement sur le pied
reins	au-dessus de la ligne de Lisfrank sur la face plantaire, dans les zones longitudinales 2 et 3
uretères	tendon de l'extenseur du pied (mis en évidence en soulevant le gros orteil)
vessie	sous la malléole de chaque pied

L'une des principales fonctions des reins est d'éliminer les déchets de l'organisme, comme l'urée et l'acide urique. Si les reins ne jouent pas bien ce rôle, ces substances se retrouveront dans le sang. Les reins permettent aussi d'éliminer l'eau, les sels et les acides. Un mauvais fonctionnement des reins pourra donc entraîner un déséquilibre des taux de sodium ou de potassium dans le sang.

Les uretères sont des tubes qui conduisent l'urine des reins jusqu'à la vessie située dans la région pubienne du bassin. L'évacuation d'urine par la vessie est contrôlée par deux muscles très sensibles aux massages thérapeutiques.

Lorsqu'on traite les organes du système urinaire, il importe peu de procéder des reins vers la vessie ou vice versa. En effet l'urine n'est pas seulement évacuée par les reins ; elle est aussi activement aspirée par la vessie.

Le massage des zones réflexogènes des capsules surrénales s'est révélé très efficace pour le traitement de nombreuses formes d'allergies.

Ce que les problèmes du système urinaire révèlent au sujet du patient

En thérapie holistique, les reins sont un symbole
d'association. Les conflits avec des associés s'expriment
très souvent par différents types de troubles rénaux. Les
reins étant des organes jumeaux, ils reflètent les contacts
personnels et les relations avec un associé. Cela est illustré
par la tradition voulant qu'on prenne un verre lorsqu'on
rencontre quelqu'un. Le liquide ingéré vient activer le
fonctionnement des reins. Les reins réagissent donc à nos
contacts avec les autres. Les troubles rénaux expriment
des problèmes relationnels.

Une vessie pleine doit pouvoir se vider ; la pression
doit être relâchée. Toute pression demande une détente.
Les pressions sur la vessie peuvent se faire sentir fortement
dans certaines circonstances, par exemple lorsqu'on est
soi-même sous pression. Pour relâcher la pression, on
peut alors quitter la pièce et s'éloigner de la pression
sociale sous prétexte de vider sa vessie.

Les problèmes de vessie sont souvent associés à des
problèmes d'exercice du pouvoir. L'incontinence nocturne
est parfois décrite comme une forme de pleurs. C'est
souvent ainsi que réagissent les enfants qui subissent une
trop grande pression parentale. L'enfant se *venge* en

Les zones réflexogènes du système urinaire

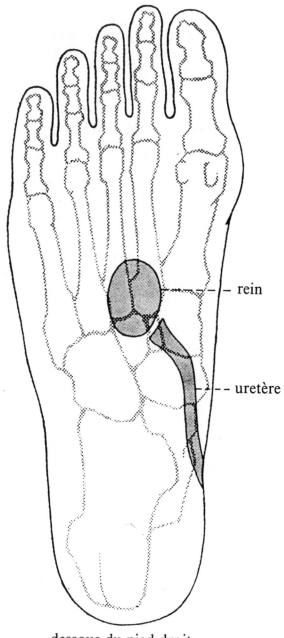

— rein

— uretère

dessous du pied droit

Les zones réflexogènes du système urinaire

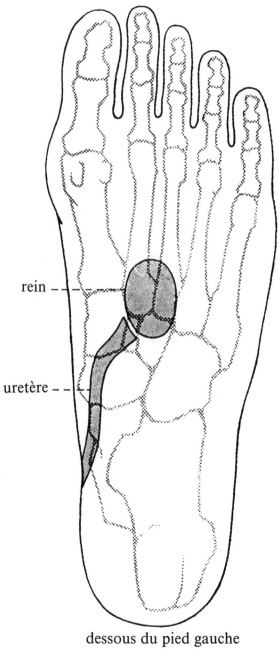

rein

uretère

dessous du pied gauche

Les zones réflexogènes du système urinaire

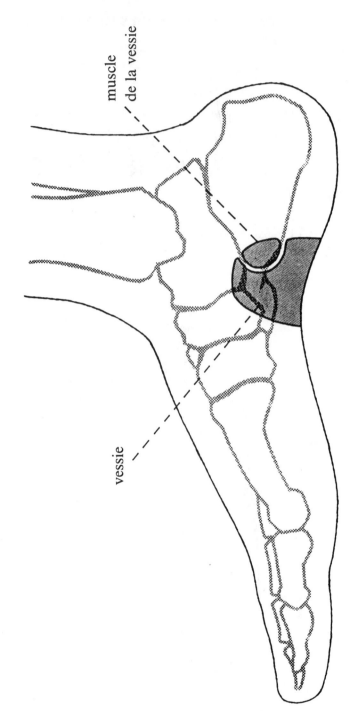

muscle
de la vessie

vessie

face interne du pied

relâchant la pression à sa manière et en soumettant ainsi ses parents à une pression différente.

Les personnes souffrant de troubles de la vessie doivent chercher la source de la pression qui est à l'origine du mal. Elles doivent sérieusement s'interroger sur ce qui les fait ainsi pleurer.

Les zones du système lymphatique

Le système lymphatique comprend plusieurs glandes et vaisseaux, dont la rate, le thymus, les amygdales et l'appendice.

La rate est un organe immunitaire important qui produit des anticorps. C'est un organe vasculaire considérablement alimenté en sang artériel. La rate produit les lymphocytes (globules blancs) et détruit les vieux globules rouges. Il ne s'agit toutefois pas d'un organe essentiel. Advenant une ablation de la rate, d'autres parties de l'organisme (ganglions lymphatiques, foie, moelle osseuse) prendront sa relève.

La lymphe est un liquide organique dont la consistance s'apparente à celle du sang. La lymphe circule dans l'organisme pour le purifier. Le système lymphatique joue un rôle vital pour la défense du corps humain et participe au système immunitaire. Le système immunitaire a pour fonction de défendre l'organisme contre l'infection par des micro-organismes pathogènes (causant des maladies) et contre les effets des substances toxiques ou des corps étrangers dommageables.

Zone visée	Emplacement sur le pied
lymphatiques supérieurs	membranes entre les orteils (sur les deux faces du pied)
amygdales	côtés des gros orteils à leur base
lymphatiques axillaires	à proximité de la zone des articulations de l'épaule
ganglions lymphatiques de l'aine	bande entre les faces interne et externe de la cheville
lymphatiques du bassin	à la base de la jambe, à l'avant et à l'arrière (voir page suivante)
rate	à la base des 4e et 5e métatarsiens sur le dessous du pied gauche

Pour désengorger les vaisseaux lymphatiques supérieurs, on tire doucement sur la membrane interdigitale des orteils en la tenant entre le pouce et l'index. Celle-ci reprend sa place lorsqu'on la relâche.

L'expérience démontre qu'un très grand nombre de patients souffrent de troubles du système lymphatique. C'est en partie attribuable aux grands efforts que ce système doit faire pour contrer les effets d'une mauvaise alimentation, d'un environnement pollué, de l'abus des drogues et des produits chimiques, etc. Lorsqu'on masse la zone réflexogène des amygdales, les patients n'ayant

Les zones réflexogènes du système lymphatique

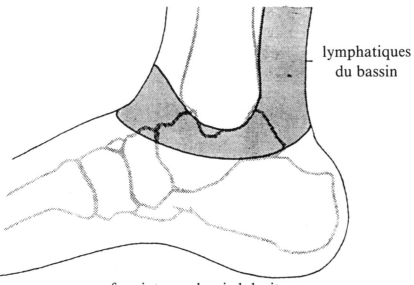

lymphatiques
du bassin

face interne du pied droit

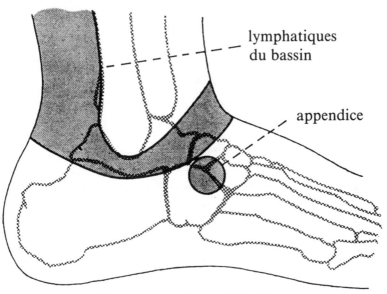

lymphatiques
du bassin

appendice

face externe du pied droit

Les zones réflexogènes du système lymphatique

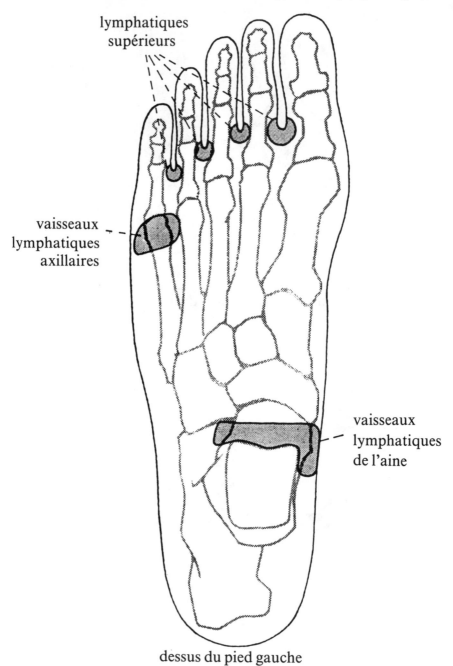

lymphatiques
supérieurs

vaisseaux
lymphatiques
axillaires

vaisseaux
lymphatiques
de l'aine

dessus du pied gauche

Les zones réflexogènes du système lymphatique

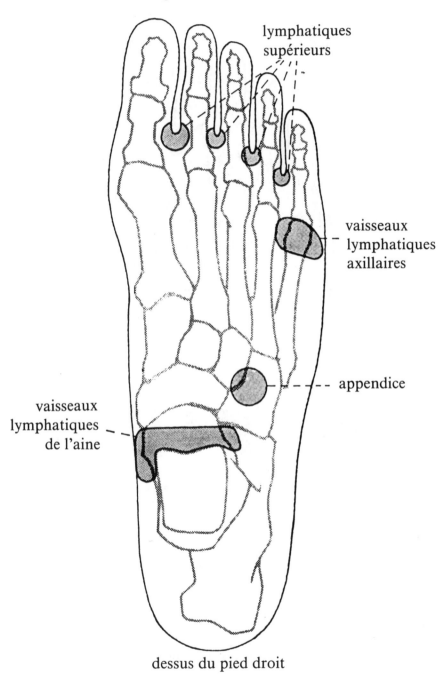

lymphatiques
supérieurs

vaisseaux
lymphatiques
axillaires

appendice

vaisseaux
lymphatiques
de l'aine

dessus du pied droit

Les zones réflexogènes du système lymphatique

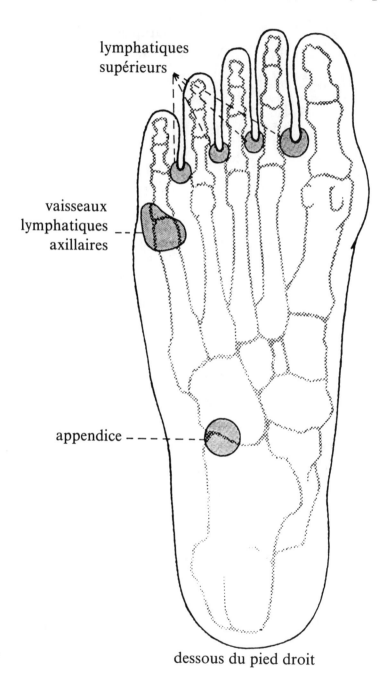

lymphatiques
supérieurs

vaisseaux
lymphatiques
axillaires

appendice

dessous du pied droit

Les zones réflexogènes du système lymphatique

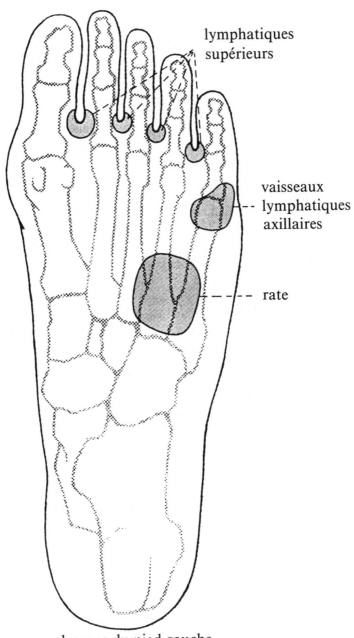

lymphatiques
supérieurs

vaisseaux
lymphatiques
axillaires

rate

dessous du pied gauche

plus ces organes réagissent aussi fortement que ceux qui ont des problèmes à ce niveau. Une telle réaction vient de ce que la cicatrice chirurgicale influence le champ d'énergie. D'ailleurs, toutes les cicatrices entraînent des réactions semblables.

La zone réflexogène de la rate est particulièrement douloureuse dans les cas de troubles de l'abdomen supérieur, de maladies cardiaques, d'allergies, de dérèglement du système lymphatique, d'inflammations et d'infections.

Les zones du système endocrinien

Les glandes endocriniennes sécrètent des hormones directement dans le sang. Ces glandes comprennent l'hypophyse, la thyroïde, la parathyroïde, le pancréas, les surrénales, les testicules, les ovaires et plusieurs autres petites glandes. Le système endocrinien s'étend dans tout le corps. Il se compose de glandes et de cellules qui produisent des hormones à l'intérieur de certains organes (hypothalamus, épithélium de l'intestin).

Les hormones sont des substances chimiques complexes qui, avec le système nerveux, contrôlent le métabolisme, la croissance et la reproduction. Elles n'ont aucune structure organique propre et utilisent la circulation sanguine pour se rendre d'un endroit à un autre. L'hypothalamus joue un rôle important en contrôlant la sécrétion des hormones et l'hypophyse coordonne le travail des autres glandes endocriniennes. Les hormones influencent les processus de l'organisme et transmettent ses réactions aux glandes

Les zones réflexogènes du système endocrinien

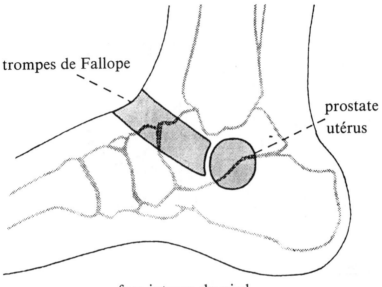

trompes de Fallope

prostate
utérus

face interne du pied

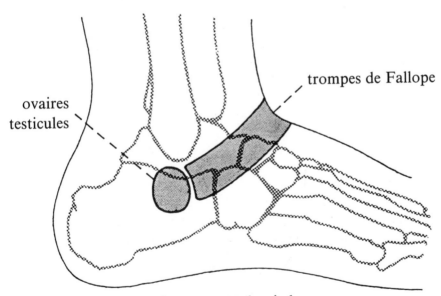

trompes de Fallope

ovaires
testicules

face externe du pied

Les zones réflexogènes du système endocrinien

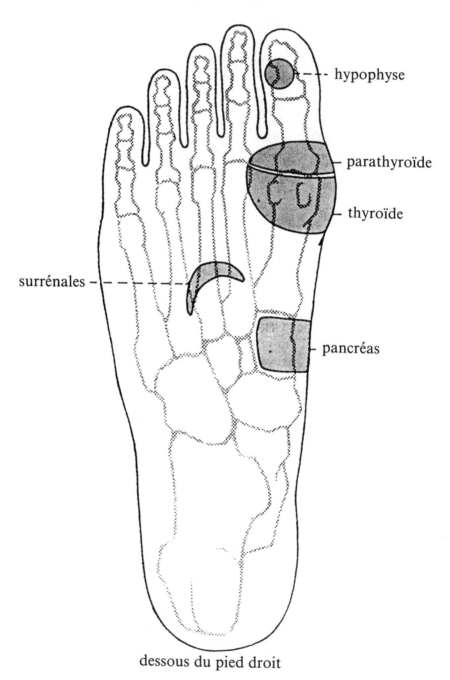

hypophyse

parathyroïde

thyroïde

surrénales

pancréas

dessous du pied droit

Les zones réflexogènes du système endocrinien

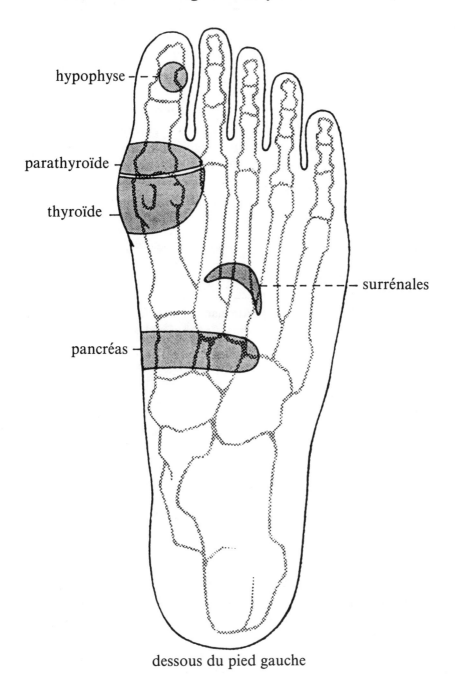

hypophyse

parathyroïde

thyroïde

surrénales

pancréas

dessous du pied gauche

qui les ont sécrétées. Elles exercent donc leur influence dans les deux sens.

Les hormones doivent être sécrétées dans une quantité précise pour bien régler les fonctions organiques qu'elles contrôlent. Une déficience ou un excès d'hormones entraînera un mauvais fonctionnement et divers symptômes pathologiques.

Zone visée	Emplacement sur le pied
hypophyse	pulpe du gros orteil
thyroïde	articulation à la base du gros orteil (dessus et dessous)
pancréas	voir les zones du système digestif
surrénales	au-dessus de la ligne de Lisfrank sur la face plantaire des deux pieds, dans les zones longitudinales 2 et 3 (voir reins)
organes génitaux	bande sur le dessus de la cheville
ovaires	deux côtés de la cheville

Si la thyroïde est hyperactive (hyperthyroïdie), le métabolisme s'en trouvera accéléré. L'énergie sera consommée plus rapidement et le patient présentera des signes de surexcitation nerveuse. Si la thyroïde est trop peu active (hypothyroïdie), le métabolisme ralentira son rythme. L'énergie sera consommée moins rapidement, la croissance sera retardée et le patient présentera des signes de fatigue généralisée.

La zone réflexogène de l'hypophyse se présente souvent comme un renflement de la pulpe du gros orteil. Il faut prendre soin de ne pas trop stimuler cette zone. Le massage des zones des surrénales est efficace pour le traitement des maladies rhumatismales et des allergies, car ces glandes sont responsables de la production de cortisone. À cause de son approche holistique, la réflexo-thérapie connaît beaucoup de succès dans le traitement des problèmes génitaux.

Les femmes enceintes dont la grossesse est normale pourront grandement profiter de la réflexothérapie, surtout si le traitement est effectué en collaboration avec leur médecin. Pour la mère comme pour l'enfant, les stimuli thérapeutiques activeront les fonctions de l'organisme et harmoniseront les forces vitales. Par leur effet relaxant, des massages réguliers garantiront très souvent un accouchement sans problème.

Les troubles menstruels, comme la sensibilité des seins ou les menstruations douloureuses, peuvent être soulagés après quelques séances de réflexothérapie.

Lorsqu'on traite les zones du système endocrinien, il faut encore une fois s'orienter clairement vers les origines du problème et ses implications.

Ce que les problèmes du système endocrinien révèlent au sujet du patient

Les personnes souffrant d'hyperthyroïdie ont tendance à refouler leur agressivité et leurs désirs d'autonomie. Elles éprouvent parfois une forte envie de venir en aide aux autres, même si en réalité elles sont incapables de s'aider elles-mêmes. Plusieurs de ces personnes sont très ambitieuses.

On pourrait en dire très long sur les troubles génitaux. Le but de toute sexualité est l'unification des pôles opposés. Dans notre société, la connaissance du corps et de la sexualité a longtemps été répréhensible. C'est une attitude sociale qui a fait souffrir de nombreuses personnes. Dethlefsen et Dahlke écrivaient : « Ce qu'un homme ne peut faire avec son corps, il ne pourra pas le faire avec sa tête. » En d'autres mots, les problèmes sexuels ne peuvent trouver leur solution qu'au niveau physique. Toute tentative pour les résoudre au niveau de l'esprit est vouée à l'échec.

Si une femme a des problèmes menstruels, c'est sans doute qu'elle accepte mal sa condition féminine. Les menstruations sont l'expression périodique de la fécondité et de la réceptivité. Chaque femme doit s'abandonner à son propre cycle et accepter ainsi son destin de femme. La femme qui souffre au moment des menstruations n'accepte pas sa féminité ; elle se sent amoindrie. Homme et femme, masculin et féminin, donner et recevoir : l'un n'est pas meilleur que l'autre. Ce sont tout simplement des réalités différentes.

L'origine des problèmes menstruels et de plusieurs autres troubles génitaux est souvent une mauvaise acceptation de sa propre sexualité. À cause de leurs fausses conceptions de la féminité et de la virilité, plusieurs personnes craignent de s'exprimer librement. Les mauvaises relations sexuelles entre hommes et femmes sont très souvent causées par la peur. La véritable expression de la sexualité est la perte de tout contrôle au moment de l'orgasme. Plusieurs personnes craignent de perdre le contrôle, surtout celles qui ont appris qu'il fallait toujours se contrôler. En même temps, cet abandon total leur apparaît très désirable. Ces personnes font alors des efforts pour rétablir l'équilibre, ce qui les empêche de s'ouvrir véritablement et de se laisser aller.

En matière de sexualité, l'effort et la volonté marquent le début d'un cercle vicieux. Si un patient a des problèmes sexuels, il faut lui montrer la voie de l'abandon complet.

6. Les zones réflexogènes des mains

Selon les théories réflexologiques du docteur Fitzgerald, les mains ont elles aussi des zones réflexogènes correspondant aux différents organes et régions du corps. Mon expérience m'a toutefois démontré que les massages des pieds étaient habituellement plus efficaces que ceux des mains. Ces derniers présentent cependant certains avantages, notamment lorsqu'on veut se traiter soi-même.

Dans notre conception de la santé, les pieds ont toujours joué un rôle plus important que les mains. Depuis la nuit des temps, on sait que des pieds froids ou humides sont un signe de maladie et plusieurs traitements des pieds — comme les bains de moutarde — font partie des remèdes éprouvés. À différentes époques, on a recommandé d'aller pieds nus dans la rosée et dans les pierres.

Dans son livre sur l'hydrothérapie intitulé *My Water Cure*, Sebastian Kneipp mentionne 46 traitements différents pour les pieds et ne fait référence aux mains qu'une seule fois.

Les massages des mains sont surtout utiles lorsqu'on veut se traiter soi-même. Le traitement lui-même est semblable à celui utilisé sur les pieds. On commence par l'épine dorsale pour passer ensuite aux zones de la tête, du système respiratoire, du cœur, du foie, des voies digestives et du système lymphatique. Les zones de l'épine dorsale et du plexus solaire sont particulièrement pratiques pour l'autotraitement. Leur massage peut contribuer à calmer la nervosité. Un massage calmant de la zone des bronches peut aussi se révéler efficace pour apaiser un quinte de toux.

La régulation de la tension artérielle s'obtiendra en pinçant doucement et en tirant vers les doigts la chair qui couvre les métatarsiens, puis en la laissant reprendre sa position initiale. Ce massage sera répété 15 à 20 fois sur chaque main et plusieurs fois par jour. Il s'agit d'un massage très efficace pour élever ou abaisser la tension artérielle.

Les zones réflexogènes des mains

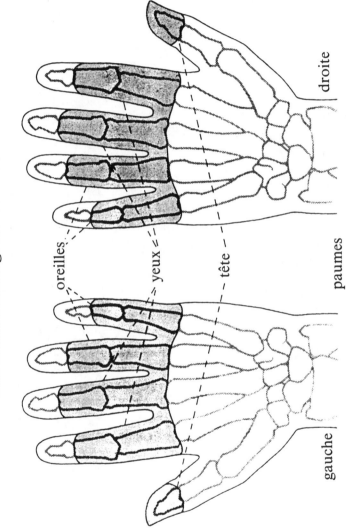

droite

gauche

paumes

oreilles

yeux

tête

Les zones réflexogènes des mains

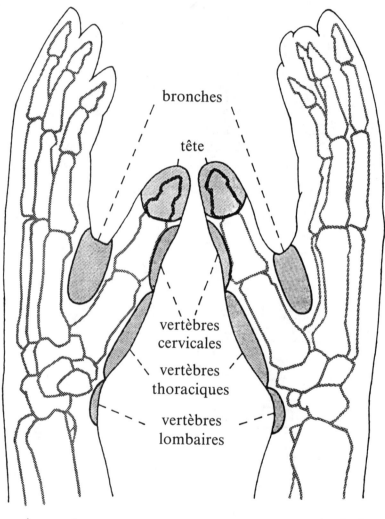

bronches

tête

vertèbres
cervicales

vertèbres
thoraciques

vertèbres
lombaires

main gauche

main droite

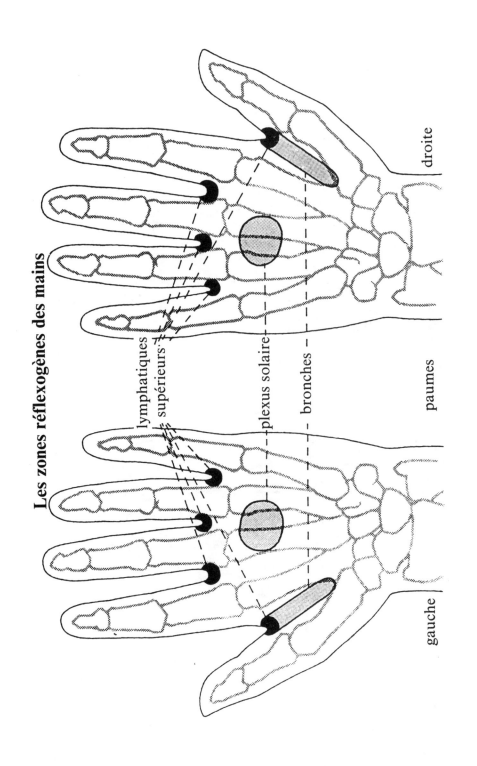

Les zones réflexogènes des mains

lymphatiques supérieurs

plexus solaire

bronches

droite

gauche

paumes

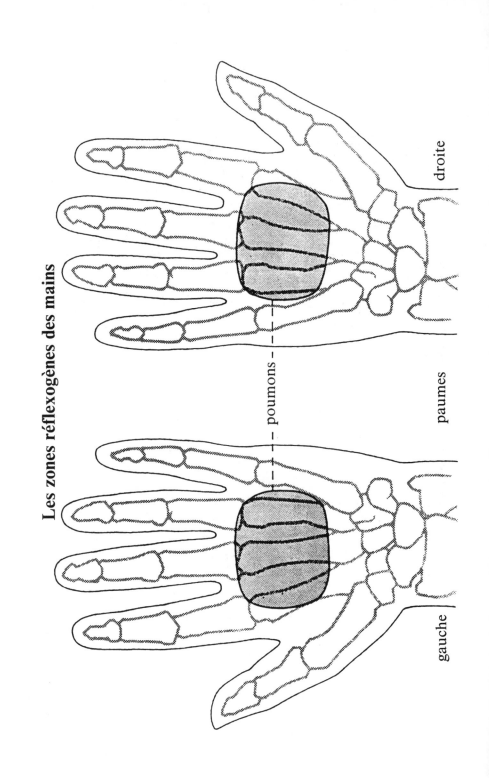

Les zones réflexogènes des mains

droite

poumons

paumes

gauche

Les zones réflexogènes des mains

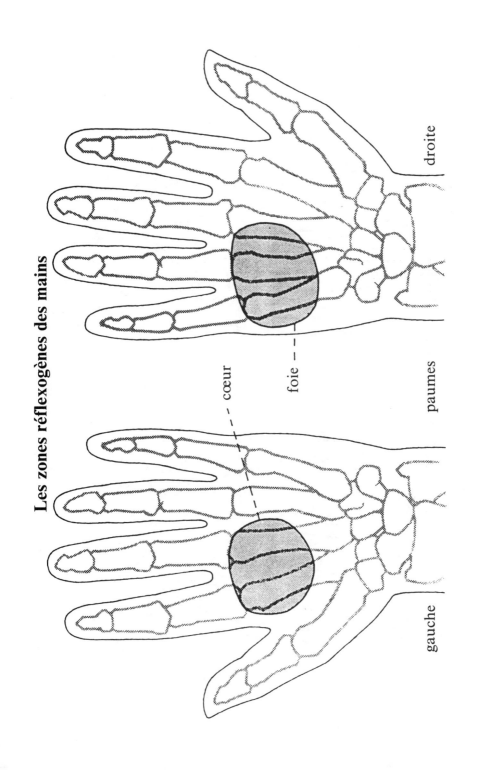

cœur

foie

gauche

droite

paumes

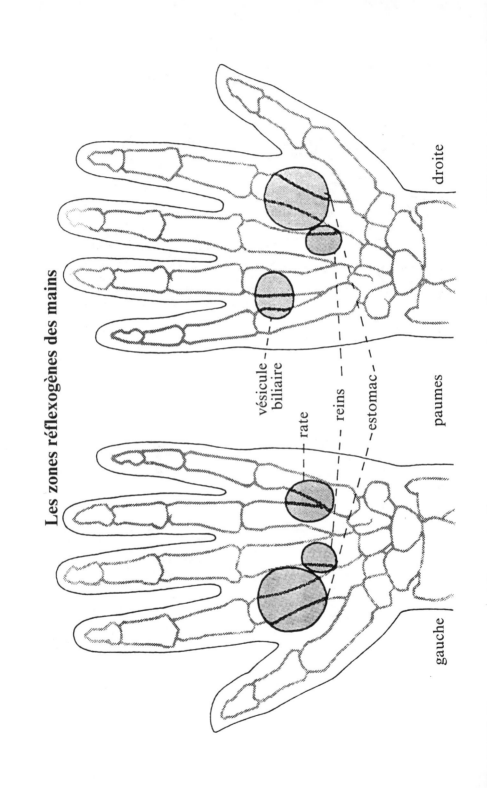

Les zones réflexogènes des mains

droite

paumes

gauche

vésicule
biliaire

rate

reins

estomac

Les zones réflexogènes des mains

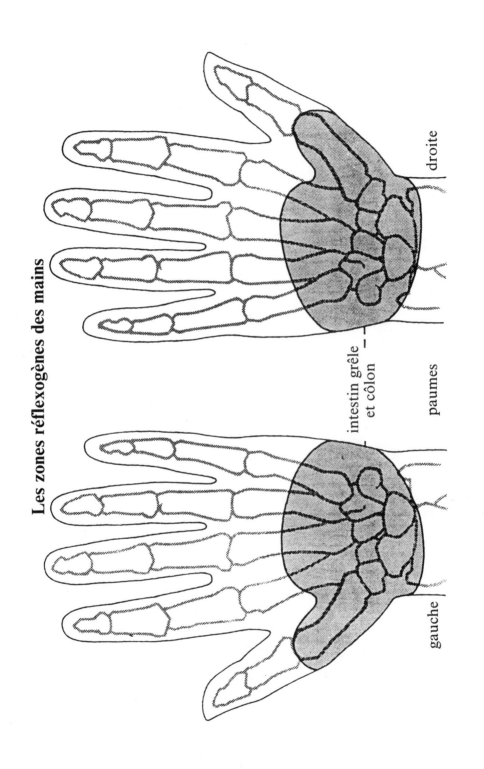

intestin grêle et côlon

paumes

droite

gauche

7. Comment pratiquer la réflexothérapie

La réflexothérapie est d'abord un ensemble de traitements destinés à promouvoir et à maintenir la santé. Le réflexothérapeute est un gardien de la santé avant d'être un guérisseur. Nous avons tous l'habitude de prendre soin de notre voiture et de la conduire régulièrement au garage pour y subir un entretien préventif. On n'accorde malheureusement pas le même soin à notre propre corps, qui doit pourtant rester en bon état pendant toute une vie.

La réflexothérapie offre l'opportunité de prendre des mesures de prévention. Les petits ennuis sont rapidement découverts et l'harmonisation constante des énergies a des effets bénéfiques sur le bien-être physique et psychologique en stimulant une attitude plus positive face à la vie. Il est important de rester actif, de progresser tout en maintenant son équilibre. C'est un peu comme aller à bicyclette : quand on s'arrête, on tombe. Plusieurs personnes ont développé une fausse conception de la sécurité en l'associant avec le repos. En réalité, il n'y a pas de repos dans la vie. Là où il y a repos, il n'y a pas de mouvement ; et là où il n'y a pas de mouvement, il n'y a pas de vie. Nous devons combattre pour maintenir notre équilibre et nous devons pour cela rassembler les forces vitales qui sont en nous. Par le massage des zones réflexogènes, on prend conscience de ces forces vitales et on les influence d'une manière positive.

Ce chapitre présente un guide général de la pratique réflexothérapeutique en précisant les étapes les plus importantes et en soulignant les causes et les réactions possibles. À cause de la nature individuelle de chaque traitement, il était bien sûr impossible d'y décrire toutes les éventualités. Chaque nouveau patient est un être unique ayant des forces vitales qui lui sont propres. Les principes qui sous-tendent les traitements décrits ci-après sont ceux qui ont été présentés au début de ce livre.

Malgré les divisions schématiques de ce chapitre, il faut garder à l'esprit que le traitement n'est pas orienté vers les symptômes. On ne se concentre pas tout de suite sur la région qui présente un problème. Il faut d'abord détendre le patient et rétablir son harmonie en massant les zones réflexogènes de l'épine dorsale. Cela a pour effet d'apaiser le système nerveux et de permettre au patient de s'ouvrir sur les origines de son mal.

À chaque séance de réflexothérapie, le thérapeute doit songer à la responsabilité qu'il porte face au patient. La confiance en la méthode thérapeutique est plus importante pour le patient que l'obsession des objectifs ultimes du traitement. Il faut se rappeler que les problèmes humains ne peuvent être résolus par des moyens techniques, mais seulement par des facteurs humains. De nos jours, les gens ne savent plus se parler et se comprendre. La personne malade parle son propre langage et le thérapeute doit apprendre à comprendre ce qu'elle veut dire. À son tour, le patient adoptera une nouvelle attitude face à lui-même et face à l'expression de soi. Une telle compréhension viendra avec l'expérience, au gré des nouvelles rencontres avec des patients. Nous pouvons apprendre beaucoup de nos relations avec les autres. Pour cela, il faut toujours être disposé à apprendre.

Séquence des massages

1. Épine dorsale.
2. Tête, sinus, dents, yeux et oreilles.
3. Lymphatiques supérieurs.
4. Système respiratoire : nez, gorge, amygdales, bronches et poumons.
5. Cœur.
6. Diaphragme.
7. Système digestif : bouche, dents, cardia, estomac, pylore, rate, foie, vésicule biliaire, intestin grêle, côlon, pancréas, ensemble des intestins, appendice, rectum et anus.
8. Reins et surrénales.

9. Vessie et prostate.
10. Ovaires et utérus.
11. Glandes endocriniennes.
12. Système lymphatique.
13. Articulations.
14. Muscles.
15. Plexus solaire et massage de détente.

Zone	Traitement
Épine dorsale	L'épine dorsale est traitée à partir du coccyx vers le haut. Au moyen d'une prise douce, souple et énergique, masser ensuite l'épine dorsale de haut en bas. Répéter le massage 3 à 5 fois en changeant de direction. Le massage permettra de détecter les premiers signes de problème, car le système nerveux central est relié à tous les principaux organes. Le massage vers le bas stimule les nerfs qui quittent l'épine dorsale et entraîne un effet apaisant. Un grand nombre de problèmes sont causés par un blocage nerveux au niveau de l'épine dorsale et peuvent être soulagés par la réflexothérapie.
Tête et sinus	Massage du crâne et des sinus, puis du cerveau et du cou. Au niveau du cou, bouger le pouce latéralement dans un mouvement de balancier. Il est important de bien doser le massage de l'hypophyse. Son fonctionnement doit être parfait pour assurer l'équilibre hormonal de l'organisme. Les enfants sont particulièrement sensibles au massage de la zone de l'hypophyse. Les femmes souffrant d'infertilité réagissent bien à un massage de cette

	zone, car l'hypophyse est responsable de la sécrétion des hormones sexuelles. Certains types de grippes seront soulagées par un massage des zones du nez et de la gorge. On s'attardera bien sûr aux zones de la tête si le patient souffre de maux de tête, même si les causes d'une migraine doivent être cherchées ailleurs. La prudence est de rigueur lors du massage des zones du système nerveux.
Dents	On sait qu'une mauvaise dentition peut être à l'origine de nombreuses maladies. Si une dent est sensible aux changements de température (boissons chaudes ou froides), on pourra la soulager au moyen d'un massage de détente. Si le thérapeute découvre une dent cariée ou infectée, il dirigera le patient vers un dentiste. Tenter de soulager la douleur dans un tel cas équivaudrait à traiter le symptôme plutôt que la cause du mal. Si la zone douloureuse correspond à une dent arrachée, c'est la cicatrice qui trouble le champ d'énergie et cela ne peut pas être traité.
Yeux	Les zones réflexogènes des yeux se sont révélées très utiles pour le traitement de la myopie (zone longitudinale 2) et de la presbytie (zone longitudinale 3). En stimulant ces zones, on raffermit la musculature des yeux, ce qui peut avoir pour effet d'améliorer la vue.

Le système nerveux autonome

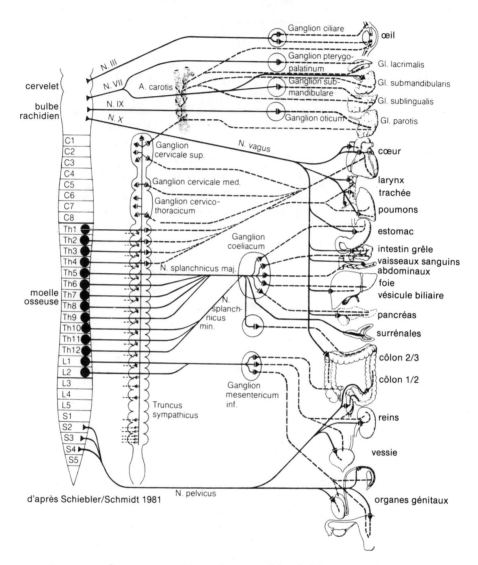

Ganglion ciliare — œil
Ganglion pterygo-palatinum — Gl. lacrimalis
Ganglion sub-mandibulare — Gl. submandibularis
— Gl. sublingualis
Ganglion oticum — Gl. parotis

N. III
N. VII — A. carotis
N. IX
N. X

cervelet
bulbe rachidien

C1
C2
C3
C4
C5
C6
C7
C8
Th1
Th2
Th3
Th4
Th5
Th6
Th7
Th8
Th9
Th10
Th11
Th12
L1
L2
L3
L4
L5
S1
S2
S3
S4
S5

moelle osseuse

Ganglion cervicale sup.
Ganglion cervicale med.
Ganglion cervico-thoracicum

N. vagus

Ganglion coeliacum
N. splanchnicus maj.
N. splanchnicus min.

Ganglion mesentericum inf.

Truncus sympathicus

N. pelvicus

d'après Schiebler/Schmidt 1981

cœur
larynx
trachée
poumons
estomac
intestin grêle
vaisseaux sanguins abdominaux
foie
vésicule biliaire
pancréas
surrénales
côlon 2/3
côlon 1/2
reins
vessie
organes génitaux

▶——— nerfs parasympathiques (responsables de l'économie d'énergie, de la détente, de la guérison et de la récupération)
●——— nerfs sympathiques (responsables de la dépense d'énergie, de l'activité et de la tension)

Comme les organes sont reliés à de nombreux nerfs, il est souvent aussi efficace de masser les zones de l'épine dorsale que les zones des organes eux-mêmes. Le traitement du système nerveux central par le massage des pieds entraîne une harmonisation optimale des énergies.

Oreilles	L'oreille interne (zone longitudinale 4) peut être traitée efficacement dans les cas de tintements, de perte d'équilibre ou de certains types de surdité.
Lymphatiques supérieurs	Après avoir massé les zones de la tête, il est important de passer aux lymphatiques supérieurs. Un massage de cette zone permettra aux substances toxiques de s'échapper librement. Si ce n'est pas fait, un blocage des vaisseaux lymphatiques risque d'entraîner de nouveaux maux de tête. Dans les cas d'asthme, de rhume des foins ou d'autres allergies, la membrane interdigitale entre les 2e, 3e et 4e orteils sera sensible. Le pincement adéquat de ces membranes est important pour activer le système lymphatique.
Système respiratoire, nez et gorge	Les zones réflexogènes du système respiratoire sont massées sur le dessus du pied. La face plantaire de ces zones est reliée de trop près au système nerveux.
Amygdales	Les cordes vocales sont aussi traitées en massant la zone correspondant aux amygdales. Ce massage permet souvent de soulager les enrouements.
Bronches	Les bronches sont traitées en massant le dessus du pied en direction du corps.
Poumons	Les zones réflexogènes des poumons peuvent être massées sur le dessus ou le dessous du pied.
Cœur	Si les zones du cœur indiquent la présence d'un problème, le patient devrait être dirigé vers un médecin. En collaborant avec un médecin, le réflexothérapeute pourra largement contribuer à

	la régénération de la musculature cardiaque et au rétablissement du patient. La sensibilité des zones du cœur peut aussi indiquer des problèmes émotionnels. Elle peut aussi être causée par des troubles respiratoires (tension intercostale). Lorsqu'il traite les zones du cœur, le thérapeute doit garder à l'esprit l'approche holistique de la réflexothérapie. Les malaises cardiaques peuvent vraiment signifier que le patient a le *cœur brisé*.
Diaphragme	Un diaphragme contracté n'est pas toujours un signe de troubles respiratoires. Il peut aussi indiquer des problèmes reliés à l'estomac ou aux intestins (gaz). On peut le traiter en relâchant la tension intercostale. Les problèmes du diaphragme peuvent aussi être traités en stimulant la zone du plexus solaire. On observe que les enfants asthmatiques se plaignent souvent en premier lieu de problèmes d'estomac et qu'un massage de la zone de l'appendice peut être efficace dans de tels cas.
Système digestif, bouche, dents, œsophage	Massage des mêmes zones que pour les bronches.
Cardia (entrée de l'estomac)	Sur le pied gauche. Dans un cas de légère inflammation du cardia, effectuer un massage de détente.
Estomac	Les troubles gastriques aigus sont soulagés par une prise immobile ayant un effet calmant. Les problèmes attribuables à un manque d'acidité gastrique exigent une stimulation. La stimulation permet aussi de traiter l'excès d'acidité en contrai-

	gnant l'estomac à régulariser lui-même sa production. Le traitement des ulcères exige de la prudence, car un massage peut causer leur perforation. Les problèmes digestifs d'ordre nerveux exigent eux aussi une prise immobile et calmante.
Pylore (sortie de l'estomac)	Sur le pied droit. Les problèmes des zones du cardia et du pylore sont souvent causés par une inflammation.
Rate	Sur le pied gauche. La rate joue un rôle important pour la défense de l'organisme (système immunitaire). Cette zone doit habituellement être légèrement stimulée.
Foie	Dans les cas d'hépatite, l'état du foie peut être considérablement amélioré par des massages thérapeutiques. Les fonctions excrétrices du foie sont essentielles au métabolisme et à la circulation. La stimulation du foie se révèle bénéfique dans le traitement de la fatigue ou de la dépression. Entre le pouce et l'index, tirer doucement la chair du dessus du pied le long des métatarsiens, en direction des orteils. Ce massage stimule la circulation.
Vésicule biliaire	Doit être traitée avec prudence. Le massage peut entraîner le déplacement de calculs. Dans le doute, consulter un médecin avant de poursuivre le traitement. La stimulation de la zone de la vésicule biliaire permet de soulager les indigestions. Entre le pouce et l'index, masser la zone sur les deux faces du pied. Il faut noter que l'emplacement de cette zone peut varier considérablement d'une personne à une autre (3e, 4e ou 5e zone longitudinale).

Intestin grêle	Les zones de l'intestin grêle sont entourées par les différentes sections des zones du côlon.
Côlon	Le massage des zones du côlon se fait dans l'ordre suivant : côlon ascendant, côlon transverse et côlon descendant, jusqu'à l'anus.
Pancréas	Traité en même temps que l'estomac. Chez les patients diabétiques, ce traitement doit être fait avec prudence, car il risque de déclencher un choc hypoglycémique. Dans un tel cas, il faudra donner du sucre au patient.
Intestins (en général)	Doivent être stimulés pour résoudre les problèmes de diarrhée ou de constipation. On cherchera les origines des troubles intestinaux dans le régime alimentaire et le mode de vie du patient.
Appendice	L'inflammation de l'appendice doit être traitée au moyen d'une prise ayant un effet calmant. La zone réflexogène de l'appendice se prête bien au diagnostic. Si le patient souffre d'une douleur qui disparaît lorsqu'on masse cette zone, son appendice présente sûrement une inflammation.
Rectum	Les zones réflexogènes du rectum se trouvent, d'une manière symétrique, sur chacun des deux pieds.
Anus	Les problèmes dans la zone réflexogène de l'anus signalent la présence d'hémorroïdes, de crampes ou d'eczéma. Une prise calmante permettra de relâcher la tension et apportera une sensation de chaleur dans la région anale. Par la même occa-

	sion, on en profitera pour traiter les glandes lymphatiques du bassin.
Reins	Même mise en garde que pour la vésicule biliaire : le massage peut provoquer le déplacement de calculs. Le massage des voies urinaires doit se faire dans les deux directions, car les reins éliminent les déchets, tandis que la vessie les reçoit. Le thérapeute doit être conscient des limites du traitement : un calcul peut venir bloquer un rein complètement. Si on soupçonne la présence de calculs, il est recommandé de consulter un médecin. Le véritable expert reconnaît les limites de sa thérapie.
Surrénales	Les surrénales produisant de la cortisone, leur stimulation est importante dans les cas d'allergies. Le massage de cette zone peut aussi améliorer une tension artérielle trop faible.
Vessie	Le fonctionnement de la vessie peut être stimulé, mais le sphincter exige une prise calmante, surtout dans les cas d'incontinence. L'incontinence est souvent causée par des facteurs sociaux ou psychologiques. Chez l'enfant, on devra s'intéresser aux relations qui existent entre ce dernier et ses parents.
Prostate	Plusieurs problèmes urinaires pourront être traités en massant cette zone de manière à stimuler la circulation.
Ovaires et utérus	La réflexothérapie permet de traiter les menstruations douloureuses ou irrégulières. La douleur peut être soulagée et le rythme normal, rétabli.

	Pour le traitement de l'irrégularité menstruelle, il faut aussi masser la zone de l'hypophyse, qui est responsable de l'équilibre hormonal. Dans ces cas comme dans plusieurs autres, il faudra également tenir compte des facteurs sociaux et psychologiques.
Glandes endocriniennes	Les zones réflexogènes des glandes endocriniennes seront traitées en fonction de leur rôle et de leur importance. Comme le fonctionnement de ces glandes est très complexe, il pourra s'écouler beaucoup de temps entre le massage et la réaction. Le massage de ces zones permet de traiter efficacement plusieurs formes d'allergies. Une légère stimulation de la thyroïde permettra également de régler le fonctionnement de cette glande.
Système lymphatique	Lorsqu'on utilise le pincement pour dégager les lymphatiques, il faut prendre soin de commencer par les lymphatiques supérieurs. Les zones réflexogènes des lymphatiques du bassin seront massées en dernier lieu. Si nécessaire, on pourra traiter les lymphatiques plusieurs fois au cours d'une même séance, mais on terminera toujours une séance par ce massage afin de favoriser l'élimination des substances toxiques de l'organisme. Le pincement qui consiste à tirer la membrane interdigitale pour dégager les lymphatiques supérieurs a été décrit précédemment. Pour dégager les lymphatiques du bassin, utiliser un pincement semblable pour tirer vers le bas d'une manière rythmée la chair qui entoure le tendon d'Achille. On utilisera le pouce et l'index, ou encore les deux mains.

Articulations	Les articulations et les muscles seront bien sûr traités tout au long de la séance. Si le patient ressent une douleur aiguë au moment du massage d'une zone, le thérapeute pourra déterminer l'emplacement exact de l'articulation qui présente un problème. Avec une prise immobile et calmante, la mobilité de l'articulation s'améliorera rapidement à moins qu'un ligament soit déchiré ou blessé. Pour le traitement du *coude du tennisman* (epicondylitis humeri), masser les zones des vertèbres cervicales, de la poitrine, de l'épaule et de la partie supérieure du bras en plus de celle du coude. Ce problème peut aussi être traité efficacement par l'acupuncture.
Muscles	La stimulation réflexothérapique peut grandement améliorer le tonus musculaire. Comme les muscles supportent la structure osseuse du corps, leur traitement doit être envisagé dans tous les cas de problèmes osseux (par exemple, les douleurs lombaires exigeront un traitement des muscles dorsaux et abdominaux). Une tension musculaire continuelle et générale signale toujours un problème d'ordre psychologique. Plus spécifiquement, une tension au niveau du cou et des épaules indiquera que le patient est écrasé par des problèmes.

Même si chaque maladie semble être un processus spécifique qui se répète à l'infini de l'un à l'autre, il est essentiel de ne pas nier l'individualité de chaque patient. Le thérapeute responsable ne limite pas sa relation avec son patient à un simple jeu biophysique de stimuli et de réactions. Les lois de la physique et de la chimie ne s'appliquent vraiment que lorsque le corps est sans vie. Le cadavre est alors totalement soumis aux lois de la science. Cependant, tant qu'un organisme a ses forces vitales, d'autres lois s'appliquent — des lois dont on ne sait encore que fort peu de choses.

Il est impossible de devenir un spécialiste simplement en lisant un livre. La réflexothérapie est une méthode qui se fonde sur des millénaires d'expérience et l'on ne peut la maîtriser que par la pratique. Il est irresponsable et il peut être dangereux d'ignorer ses limites. L'apprentissage par l'expérience est un long processus, mais qui apporte de grandes joies. Quiconque veut pratiquer la réflexothérapie devra s'y soumettre.

Certaines personnes ont tenté de monopoliser la réflexo-thérapie. De telles tentatives sont vouées à l'échec, car les principes de la réflexothérapie sont enracinés dans la poursuite du bien commun. Celui qui respecte ces principes désire que le plus grand nombre de personnes possible apprennent les diverses thérapies et les mettent en pratique. La réflexothérapie est une méthode qui cherche à pro-mouvoir la santé et à prévenir la maladie. À ce titre, elle n'appartient pas au domaine exclusif des spécialistes. Il s'agit d'une méthode simple qui est à la portée de tous. Ce qui importe, c'est de comprendre les principes de la réflexothérapie et de les mettre en pratique. C'est justement l'objectif que visait ce livre.

8. Quelques exemples de cas

J'ai longtemps hésité avant de rapporter des cas vécus dans ce livre. De nombreux livres présentent des cas de guérisons presque miraculeuses avec beaucoup de détails et il me semble y voir une certaine vanité. C'est ce que je voulais éviter. Pire encore, de tels cas risquent d'être utilisés comme des recettes pour le traitement de cas semblables.

J'ai finalement décidé de donner quelques exemples en estimant que le lecteur a le droit de connaître les formidables possibilités de cette thérapie qui fait appel aux forces vitales du corps humain.

Une femme de 64 ans souffrait d'asthme depuis 35 ans et connaissait des crises occasionnelles très graves. Après vingt séances, son asthme a disparu et il n'est pas encore revenu, quatre ans plus tard.

Un enfant de 13 ans souffrait de crises d'asthme depuis cinq ans. Son organisme ne supportant plus les médicaments, il ne pouvait prendre de cortisone. Après dix séances, on localisa une cicatrice dans la région du bassin et on dégagea ce blocage du champ d'énergie. L'enfant n'a plus fait une seule crise d'asthme depuis.

Les cas de zona traités dès le départ sont la plupart du temps guéris après trois, quatre ou cinq séances.

Une patiente de 70 ans apprit de son médecin qu'elle souffrait d'une double hernie inguinale. Après 15 séances, elle se sentait déjà beaucoup mieux. Après dix autres séances au cours desquelles elle disait ressentir de la chaleur et une traction au niveau des aines, la double hernie était guérie.

Un patient blessé à la tête à la suite d'une explosion dut subir une intervention chirurgicale au cours de laquelle on inséra une plaque métallique dans son crâne. L'homme ne pouvait plus parler et il était incapable de faire plus de dix pas. L'examen des pieds indiqua des problèmes graves au niveau de l'hypophyse, du crâne et du cerveau, ainsi que des troubles mineurs dans les zones des vertèbres cervicales, thoraciques et lombaires. Après cinq séances, le patient pouvait déjà marmonner quelques phrases. Cette réussite entraîna un déblocage de ses champs d'énergie. Cet homme désirait ardemment se rétablir. Après douze autres séances, il pouvait marcher plusieurs kilomètres.

Un patient de 67 ans avait subi une crise cardiaque au cours de ses vacances à la montagne. Six mois après sa sortie de l'hôpital, il se présenta à notre clinique. Il n'était pas encore complètement rétabli. Après une vingtaine de séances de traitement général de l'ensemble de son organisme, l'électrocardiogramme ne montrait plus le moindre signe d'une crise cardiaque. Le patient était totalement rétabli.

Un garçon de 9 ans avait du mal à se concentrer à l'école et à faire ses devoirs. L'examen révéla des problèmes au niveau de l'épine dorsale, de l'hypophyse et des lymphatiques supérieurs. Après quelques séances, les problèmes s'étaient atténués et l'enfant avait moins peur de l'école. Après neuf séances, le garçon pouvait faire ses devoirs et ses exercices sans aide. Avec le temps, il développa sa concentration et n'eut plus aucun problème scolaire.

Un bébé de trois mois ne pouvait pas faire ses selles sans aide. Un examen visuel révéla un gonflement dans la zone des intestins. Dès la première séance, le bébé déféqua de lui-même. Après trois autres séances, le fonctionnement de ses intestins était devenu très régulier.

Un cycliste participant à une course sur route ressentit une douleur aiguë au genou au terme d'une montée difficile. Après peu de temps, son genou était très enflé. L'examen de la zone réflexogène du genou ne révéla rien d'anormal. Cependant, on découvrit un problème dans la zone d'une dent et on lui recommanda de se la faire arracher. Le lendemain, ce cycliste avait la mâchoire enflée, mais son genou était en parfait état et il put retourner à la compétition.

Une femme de 30 ans se plaignait d'une grippe persistante qui avait résisté jusqu'ici à toutes les formes de traitement. L'examen révéla des problèmes dans les zones des ovaires, des trompes de Fallope et de l'utérus. Cette femme s'était fait poser un stérilet et son corps réagissait fortement. On lui recommanda de faire retirer le stérilet. Trois autres séances suffirent pour rétablir l'équilibre et faire disparaître la grippe complètement.

Une patiente de 27 ans souffrait de migraines très pénibles, dont certaines pouvaient durer jusqu'à quatre jours. L'examen révéla des problèmes dans les zones des vertèbres cervicales, des vertèbres lombaires, du bassin et des intestins. Après sept séances, la patiente fut débarrassée de ses migraines pendant six mois. Après trois autres séries de cinq séances, les migraines disparurent complètement.

Un patient de 40 ans était couvert de contusions à la suite d'un accident de la route. Sa cage thoracique et son abdomen le faisaient souffrir malgré les médicaments. L'examen révéla des problèmes au niveau des espaces intercostaux et des muscles abdominaux. Après deux longues séances de massages très complets, les douleurs avaient complètement disparu.

Une paralytique de 23 ans souffrait de céphalées violentes d'un côté de la tête, de constipation et de transpiration abondante. À cause de sa paralysie, il était difficile de tirer des conclusions à la suite de l'examen tactile. Après plusieurs séances de traitement général, les maux de tête disparurent, le fonctionnement des intestins se régularisa et la transpiration excessive cessa.

On pourrait écrire de nombreux livres uniquement
pour rapporter des cas semblables. Chacun d'entre nous
connaît au moins un exemple de guérison incroyable. Ce
sont autant de témoignages des pouvoirs mystérieux de la
vie.

9. Questions et réponses

Que sont les massages thérapeutiques ?

C'est une forme de traitement qui utilise les zones du pied pour stimuler le flux des forces vitales et améliorer le fonctionnement de l'organisme.

Comment fonctionne le traitement ?

Les réussites de la réflexothérapie ne sont pas encore totalement expliquées. Plusieurs explications ont été proposées et chacune a sa valeur, mais aucune analogie mécanique — comme celle des dépôts cristallins ou des blocages nerveux — ne saurait vraiment décrire toute la portée de cette thérapie. Tout ce qu'on peut dire, c'est que l'image du corps est reproduite sur les pieds et qu'en massant ces derniers on traite le patient dans sa globalité.

Qui administre le traitement?

La réflexothérapie tire ses origines de la médecine populaire et elle est pratiquée depuis toujours par des personnes qui désirent s'occuper de leur santé. Les possibilités thérapeutiques de la réflexologie ont connu un développement plus récent et il existe aujourd'hui des réflexothérapeutes qui ont reçu une formation pour traiter d'autres personnes. Ces thérapeutes travaillent toujours en collaboration avec un médecin lorsqu'ils découvrent ou soupçonnent un problème médical spécifique. Lorsqu'il s'agit de maintenir la santé et de prévenir la maladie, la réflexothérapie est ouverte à toute personne responsable qui veut l'apprendre.

Qui peut profiter d'un tel traitement?

Son premier but étant de maintenir la santé et de prévenir la maladie, la réflexothérapie s'adresse d'abord aux personnes en bonne santé. Si toutefois des problèmes sont décelés lors du massage, le réflexothérapeute pourra exercer une stimulation thérapeutique afin d'activer les pouvoirs de guérison de l'organisme.

Comment travaille le réflexothérapeute?

Celui-ci utilise ses mains — et uniquement ses mains — pour exercer une stimulation thérapeutique. Plus spécifiquement, il fait appel à un mouvement sensible et dynamique du pouce.

Quel est l'objet précis du traitement?

Dans le sens le plus étroit du mot, seuls les pieds du patient sont traités. Cependant, la réflexothérapie considère le patient comme une personne globale ayant un corps et une âme et elle reconnaît que les problèmes physiques peuvent avoir plusieurs causes diverses. La maladie n'est donc pas traitée isolément, mais dans ses rapports avec la personne dans toute son entité. La méthode ne s'attarde pas aux symptômes, mais cherche à traiter les origines du mal. En d'autres mots, il s'agit d'une thérapie holistique, tout comme l'homéopathie.

Que signifient les douleurs ressenties lors du massage de certaines zones du pied?

Les douleurs indiquent un problème, une accumulation de pression ou un blocage dans la région correspondante du corps du patient. On ne peut tirer des conclusions précises sur la nature même du problème. Cette méthode permet toutefois de détecter des problèmes que les tests de laboratoire n'ont pu déceler. On peut alors stimuler l'organisme pour qu'il se défende avant que les problèmes se transforment en véritable maladie.

Est-ce que tout le monde peut être traité par cette méthode?

À l'exception de certains cas dont il est fait mention dans ce livre, la réflexothérapie peut être pratiquée sur des patients de tout âge, peu importe la nature de leur mal.

Combien de temps dure un traitement?

La première séance dure environ 45 minutes et les séances subséquentes, environ 30 minutes chacune. Selon les réactions et les progrès du patient, un traitement complet comptera entre huit et douze séances. On recommande aux personnes en santé de subir deux traitements chaque année afin d'équilibrer et de refaire leurs réserves énergétiques. Cela dit, chacun peut faire appel aux massages thérapeutiques quand bon lui semble ou lorsqu'il en ressent le besoin.

Comment le patient réagit-il aux massages?

Les réactions varient considérablement d'une personne à l'autre. Le thérapeute doit donc être en mesure de régler son traitement en fonction de la tolérance du patient. Pour ce faire, il doit apprendre à bien interpréter les réactions du patient. L'ignorance des réactions du patient peut causer de graves problèmes. Il importe donc de traiter le patient avec douceur et sensibilité de manière à ne pas provoquer chez lui des réactions inattendues. Le thérapeute ne doit jamais chercher à imposer sa volonté d'en arriver à une guérison. Cela ne fait qu'accroître les tensions de part et d'autre et empêche l'énergie de circuler librement. Plus le massage est adapté au patient, plus il sera efficace. La réaction la plus courante est une sensation de chaleur, de détente et de meilleure circulation dans la région du corps correspondant à la zone massée.

Peut-on se traiter soi-même au moyen de cette méthode?

L'auto-traitement comporte des inconvénients qui le rendent beaucoup moins efficace que le traitement effectué par une autre personne. L'inconvénient majeur est l'absence de relaxation. En outre, il est difficile d'interpréter ses propres réactions et l'on ne peut profiter de l'échange d'énergie qui se produit avec un thérapeute. Cet échange d'énergie est essentiel à la réussite du traitement. Il est donc préférable de se faire masser par quelqu'un avec qui on se sent à son aise. La pratique de la réflexothérapie entre partenaires ou entre membres d'une même famille contribuera à raffermir le sentiment de confiance mutuelle.

Quelle est l'utilité des différents gadgets réflexothérapeutiques qu'on trouve sur le marché?

Les thérapeutes responsables n'utilisent jamais de tels appareils et recommandent à leurs patients de les éviter. Avec ces outils mécaniques, il est impossible de ressentir les réactions du patient. Rien ne saurait remplacer la sensibilité de la main d'un thérapeute expérimenté. Certains appareils, comme les rouleaux pour les pieds, peuvent améliorer la circulation lorsqu'on les utilise avec modération. On obtiendra cependant le même résultat d'une manière beaucoup plus naturelle en marchant pieds nus sur le gazon.

Comment reconnaître un bon thérapeute?

Dans son livre *Reflexology : A Patient's Guide*, Nicola Hall écrit : « Une fois qu'on a pris la décision de faire appel à la réflexothérapie, il s'agit de trouver un bon thérapeute. L'intérêt grandissant pour les thérapies alternatives a fait s'accroître le nombre de praticiens ainsi que les cours de formation qui leur sont disponibles. Cela comporte des avantages et des inconvénients. En rdéfléxo-thérapie, les qualifications des thérapeutes sont très varia-bles de l'un à l'autre. » De plus, les lois actuelles ne régissent pas la pratique de cette méthode et chacun peut faire presque ce qu'il veut à la condition de ne pas se prétendre médecin.

Mme Hall ajoute : « La réflexothérapie n'est souvent qu'une méthode parmi d'autres utilisée par un même thérapeute. Dans de tels cas, il faut s'assurer que le traitement couvre bien toutes les zones réflexogènes et non pas uniquement quelques-unes. Certains thérapeutes utilisent la réflexothérapie à des fins diagnostiques et traitent le patient au moyen d'autres méthodes. »

« La réflexothérapie n'exige aucun appareil compliqué et il n'est pas rare que le thérapeute pratique dans une pièce de sa résidence. Le patient devrait être assis dans un fauteuil à dossier inclinable et l'absence d'un tel meuble indique un manque de souci professionnel. »

Ce qui compte le plus, c'est de se sentir détendu et à son aise avec le thérapeute. Le patient et son thérapeute ne doivent pas être pressés par le temps. Tous deux doivent savoir que cette thérapie holistique exige une attitude attentive et responsable de la part du thérapeute. La réflexothérapie est beaucoup plus qu'une technique. Si vous consultez un spécialiste, faites-lui bien comprendre que vous connaissez les principes de la réflexothérapie. Un bon thérapeute vous parlera franchement et appréciera que vous en fassiez autant. Il faut se rappeler que le meilleur thérapeute n'arrivera à rien si son patient ne collabore pas. Pour atteindre le succès, le thérapeute et son patient doivent être sur la même longueur d'ondes.

Les zones réflexogènes des pieds

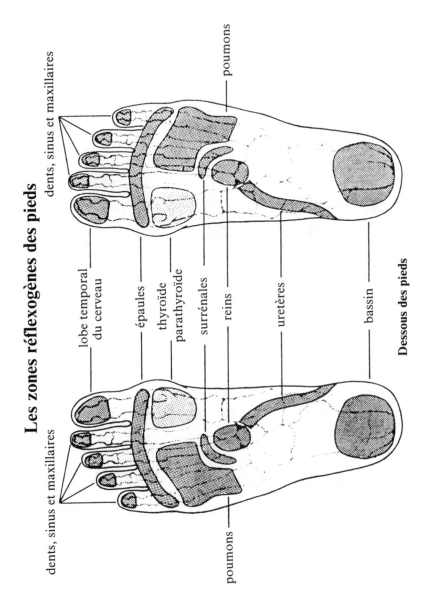

dents, sinus et maxillaires

poumons

lobe temporal du cerveau

épaules

thyroïde

parathyroïde

surrénales

reins

uretères

bassin

Dessous des pieds

dents, sinus et maxillaires

poumons

Les zones réflexogènes des pieds

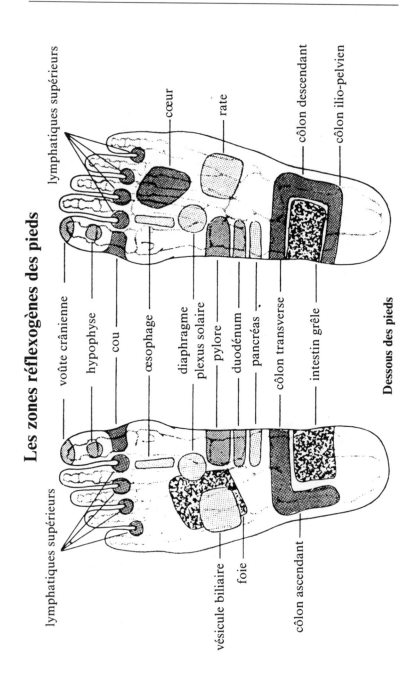

lymphatiques supérieurs

cœur

rate

côlon descendant

côlon ilio-pelvien

voûte crânienne

hypophyse

cou

œsophage

diaphragme

plexus solaire

pylore

duodénum

pancréas

côlon transverse

intestin grêle

lymphatiques supérieurs

vésicule biliaire

foie

côlon ascendant

Dessous des pieds

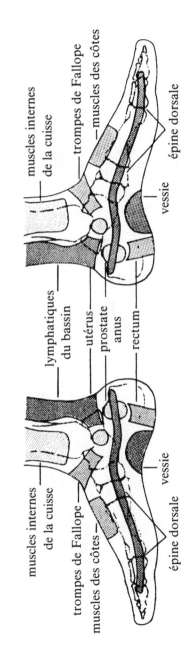

Les zones réflexogènes des pieds

muscles internes
de la cuisse

trompes de Fallope

muscles des côtes

épine dorsale

vessie

lymphatiques
du bassin

utérus

prostate

anus

rectum

muscles internes
de la cuisse

trompes de Fallope

muscles des côtes

vessie

épine dorsale

Faces internes des pieds

Les zones réflexogènes des pieds

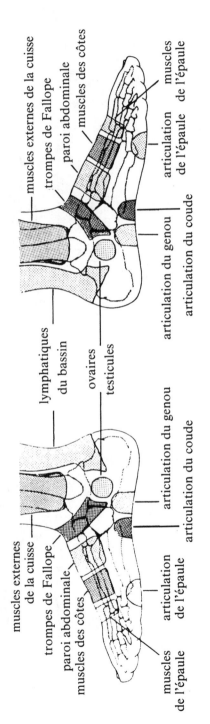

muscles externes de la cuisse
trompes de Fallope
paroi abdominale
muscles des côtes

muscles
de l'épaule

articulation de l'épaule
de l'épaule

articulation du genou
articulation du coude

lymphatiques du bassin
ovaires
testicules

articulation du genou
articulation du coude

muscles externes de la cuisse
trompes de Fallope
paroi abdominale
muscles des côtes

articulation de l'épaule

Faces externes des pieds

Les zones réflexogènes des pieds

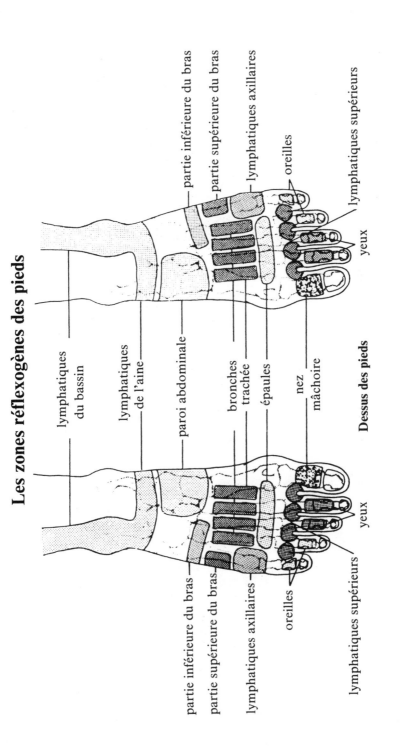

partie inférieure du bras
partie supérieure du bras
lymphatiques axillaires
oreilles
lymphatiques supérieurs
yeux

lymphatiques du bassin
lymphatiques de l'aine
paroi abdominale
bronches
trachée
épaules
nez
mâchoire

Dessus des pieds

partie inférieure du bras
partie supérieure du bras
lymphatiques axillaires
oreilles
yeux
lymphatiques supérieurs

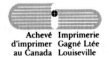

Achevé   Imprimerie
d'imprimer Gagné Ltée
au Canada Louiseville